50 ARTISTAS
QUE HAY QUE CONOCER

50 ARTISTAS
QUE HAY QUE CONOCER

THOMAS KÖSTER

Con la colaboración
de Lars Röper

OCEANO

Para Maja, que también pinta cuadros muy bonitos.
T.K.

© Editorial Prestel, Munich · Berlín · Londres · Nueva York, 2006
Responsable de proyecto: Katharina Haderer, Sandra Leitte
Textos de: Thomas Köster (páginas 7, 9, 13, 17, 21, 25, 29, 31, 32, 35, 39, 42, 47, 51, 59, 61, 65, 75-77, 81, 93, 97, 99-101, 103, 109, 113, 115, 119, 123, 124, 127, 131, 133, 137, 139, 141, 147, 149, 153, 157, 161). Lars Röper (páginas 55-57, 68, 69, 71, 73, 78, 79, 85, 89, 91, 107, 143, 145, 154, 155) y Edgar Kroll (cronología)

© de esta edición: Editorial Océano, S.L., 2008
Milanesat, 21-23 · 08017 Barcelona
Tel.: 932 802 020 · Fax: 932 031 791
www.oceano.com
Traducción del alemán: Ana Fernández González y Pilar Recuero Gil para LocTeam, Barcelona
Redacción y maquetación: LocTeam, Barcelona
Coordinación: bookwise Medienproduktion GmbH, Munich

© de las obras reproducidas: los artistas, sus herederos o sucesores, con la excepción de:
Max Beckmann, Joseph Beuys, Alexander Calder, Marc Chagall, Max Ernst, Vassily Kandinski y Paul Klee (VG Bild-Kunst, Bonn 2007); Salvador Dalí (Salvador Dalí, Fundació Gala-Salvador Dalí/VG Bild-Kunst, Bonn 2007); Marcel Duchamp (Succession Marcel Duchamp/VG Bild-Kunst, Bonn 2007); David Hockney (el artista); Frida Kahlo (Banco de México Diego Rivera & Frida Kahlo Museums Trust/VG Bild- Kunst, Bonn 2007); Henri Matisse (Succession H. Matisse/VG Bild-Kunst, Bonn 2007); Joan Miró (Successió Miró/VG Bild-Kunst, Bonn 2007); Henry Moore (The Henry Moore Foundation, 2008); Pablo Picasso (Succession Picasso/VG Bild-Kunst, Bonn 2007); Jackson Pollock (Pollock-Krasner Foundation/VG Bild-Kunst, Bonn 2007); Andy Warhol (Andy Warhol Foundation for the Visual Arts / ARS, Nueva York, 2008)

Diseño de cubiertas: LIQUID, Agentur für Gestaltung, Augsburgo
Reproducciones de la cubierta (de arriba abajo):
Giotto di Bondone, detalle de Resurrección de Lázaro, 1302-1305 (Fresco. Capilla de la Arena, Padua); Gustav Klimt, detalle de El beso, 1907-1908 (Óleo, pan de plata y oro sobre lienzo, 180 x 180 cm. Österreichische Galerie Belvedere, Viena); Georges Seurat, detalle de Un baño en Asnières, 1883-1884 (Óleo sobre lienzo, 201 x 300 cm. National Gallery, Londres); Claude Monet, detalle de Nenúfares, 1916-1919 (Óleo sobre lienzo, 200 x 180 cm. Colección privada).
Reproducción en portadilla:
Miguel Ángel, detalle de Creación de Adán, bóveda de la Capilla Sixtina, 1508-1512 (Fresco. Vaticano, Roma).

Impreso en Eslovaquia por Neografia / Printed in Slovaquia by Neografia
Impreso con papel blanqueado sin cloro / Printed on acid-free paper
ISBN 978-84-494-3743-4

ÍNDICE

1250 Constitución democrática para Florencia

1256 Guerra centenaria entre Génova y Venecia

1268 Catedral de Amiens
1268 Fin del dominio imperial germano en Italia

1271 Partida de Marco Polo a Mongolia

GÓTICO LINEAL 1200-1350

| 1210 | 1215 | 1220 | 1225 | 1230 | 1235 | 1240 | 1245 | 1250 | 1255 | 1260 | 1265 | 1270 | 1275 | 1280 | 1285 | 1290 | 1295 |

Resurrección de Lázaro, 1302-1305. Fresco. Capilla de la Arena, Padua

[izquierda]
Madonna Ognissanti, 1310. Temple sobre tabla, 325 x 204 cm. Galería de los Uffizi, Florencia

[derecha]
La donación de la capa, segunda pintura de la leyenda de san Francisco, antes de 1300. Fresco. San Francisco, Asís

1307 Dante Alighieri comienza *La divina comedia*

1314 Construcción del Palazzo Vecchio en Florencia

1355 Carlos IV coronado emperador romano-germánico

1200-1350 GÓTICO LINEAL

| 1300 | 1305 | 1310 | 1315 | 1320 | 1325 | 1330 | 1335 | 1340 | 1345 | 1350 | 1355 | 1360 | 1365 | 1370 | 1375 | 1380 | 1385 |

GIOTTO DI BONDONE

Giotto di Bondone, pintor y arquitecto italiano, era un gran narrador. Ilustraba historias bíblicas mediante gestos dramáticos y figuras representadas con total realismo. Renovó el arte del fresco conocido desde la Antigüedad e impresionó a los artistas del primer Renacimiento italiano con su convincente representación tridimensional de la profundidad.

Cuando Giotto tenía 10 años, su padre le envió a cuidar del rebaño de ovejas en el prado. Como pasatiempo, el joven pastor tomó una piedra plana y empezó a dibujar a uno de los animales. El famoso pintor Cimabue pasó por allí por casualidad procedente de Florencia y preguntó al talentoso muchacho si le gustaría trabajar en su taller. Así fue como Giotto se convirtió en pintor, según relata Giorgio Vasari, uno de los primeros historiadores del arte, en sus trabajos sobre la vida y obra del maestro. Hoy en día ya no se sabe con certeza si Giotto fue realmente discípulo de Cimabue, aunque sí es cierto que desde muy temprana edad comenzó a pintar copiando fielmente de la naturaleza. Los artistas de la Edad Media creaban sus obras religiosas de acuerdo con los patrones de los códices o bien se inspiraban en obras más antiguas. Giotto, en cambio, buscaba entre las personas de su entorno modelos para sus figuras. Su *Madonna Ognissanti* sostiene en su regazo a su hijo, a quien sonríe con la ternura y el orgullo de una madre. Una observación minuciosa permite, incluso, ver brillar dos dientes entre sus labios. En sus frescos, Giotto confirió rasgos realistas y gestos personales a las figuras bíblicas.

La nueva técnica del fresco de Giotto

En la técnica del fresco, los colores se aplican sobre un revoque húmedo compuesto por cal, arena y polvo de mármol. Los ayudantes de Cimabue se encargaban de revocar toda la superficie que se pudiera alcanzar desde el andamio. Cuando el artista no terminaba de pintar sobre la superficie revocada en un día, continuaba con su obra al día siguiente sobre el revoque seco, donde los colores se adherían con mayor dificultad. Giotto, en cambio, únicamente revocaba un área grande si podía pintarla en un día. Gracias a esta técnica, aun hoy los frescos de Giotto se conservan en buenas condiciones.

Historias gráficas en las paredes de las iglesias

Pronto se conocieron más allá de los límites de Florencia los nuevos e impresionantes frescos de Giotto, motivo por el cual él mismo necesitó ayudantes para satisfacer la demanda de sus pinturas. No solo los ricos comerciantes y banqueros le encargaban obras, sino también el Papa y el rey de Nápoles. Giotto pintó el techo y las paredes de la iglesia de los franciscanos en Asís. El rico y ambicioso Enrico Scrovegni se llevó a Giotto a Padua para que decorase su capilla privada con cuarenta magníficos frescos. La serie de frescos de Giotto relata con colores intensos, a modo de historia ilustrada fácilmente comprensible aun para los que no supiesen leer, la vida de Jesús, María y otros santos. Los gestos y las miradas muestran ira, tristeza y decepción, aunque también felicidad y fe en la prodigiosa fuerza de Dios. Con los frescos de la capilla Scrovegni, el pastor de ovejas se consagró como el pintor más importante de Europa.

Hacia **1267** Giotto nace en Vespignano, cerca de Florencia.

1290 Trabaja probablemente como ayudante del pintor Cimabue en Asís.

1300 Giotto pinta frescos en el palacio papal.

1302-1305 Decora con frescos la capilla Scrovegni en Padua.

1309 Comienza nuevos frescos para la basílica de Asís.

1310 Giotto realiza trabajos en la antigua iglesia de Pedro en Roma.

1325 Pinta la capilla Peruzzi en la florentina iglesia de Santa Croce.

1328 El rey Roberto de Anjou le lleva a Nápoles.

1334 Fue arquitecto de la catedral de Florencia.

1337 Giotto muere el 8 de enero en Florencia.

PÁGINA WEB RECOMENDADA

La página www.giottoagliscrovegni.it ofrece abundante información sobre los frescos de la capilla Scrovegni y su restauración, el edificio y el propio Giotto, y propone además una visita interactiva por la capilla.

[arriba]
Paolo Uccello (atribuido), retrato de Giotto, detalle de *Cinco hombres notables* (*Los padres de la perspectiva*), hacia 1500-1565. Temple sobre tabla, 42 x 210 cm. Museo del Louvre, París

1355 Carlos IV coronado emperador
romano-germánico

1378 El Vaticano, residencia pontificia

1400 Comienza el humanismo
en Alemania

1200-1350 GÓTICO LINEAL

RENACIMIENTO TEMPRANO 1400-147

1325   1330   1335   1340   1345   1350   1355   1360   1365   1370   1375   1380   1385   1390   1395   1400   1405   1410

El matrimonio Arnolfini, 1434.
Óleo sobre tabla, 81,8 x 59,7 cm.
National Gallery, Londres

GIOVANNI BELLINI

H. 1412 Filippo Brunelleschi descubre la
perspectiva central

1453 Los turcos conquistan Constantinopla
1453 Nacimiento de Martín Lutero
1455 Comienza la Guerra de las Dos Rosas en Inglaterra
1455 Invención de la imprenta (Gutenberg)

1400-1475 RENACIMIENTO TEMPRANO

1415   1420   1425   1430   1435   1440   1445   1450   1455   1460   1465   1470   1475   1480   1485   1490   1495   1500

JAN VAN EYCK

Con sus retratos realistas y sus luminosas pinturas de la Virgen, el pintor holandés Jan van Eyck elevó a la categoría de maestría la hasta entonces casi desconocida pintura al óleo. Durante mucho tiempo fue considerado incluso su inventor. Junto con su hermano Hubert creó el famoso Políptico de Gante.

Como pintor de cámara del duque Felipe el Bueno, Jan van Eyck formó parte de una embajada que emprendió un fatigoso viaje hacia la lejana Lisboa. El grupo tenía que preparar la boda de su señor con la princesa Isabel de Portugal. Jan tenía encomendada la tarea de retratar a la novia para que el duque pudiera hacerse una idea de Isabel antes de casarse. El pintor realizó dos retratos de la joven, ninguno de los cuales mejoraba su imagen. La princesa no era especialmente atractiva, y así la pintó también Van Eyck. Él mostraba las virtudes y defectos de las personas: majestuosas, pero también con gran nariz, piel llena de impurezas, arrugas y mirada adormecida. Sin embargo, era un retratista solicitado y muchos soberanos y ricos burgueses se hicieron retratar por él. Ni siquiera la boda entre Felipe el Bueno e Isabel se vio enturbiada por sus retratos.

Brillante pintura al óleo

No obstante, cuando Jan van Eyck representaba a la Virgen con su hijo, resaltaba con su pincel su pureza y su belleza. Serias y dulces, sus representaciones de vírgenes se presentan con suntuosos ropajes en iglesias góticas, o entronizadas en estancias ricamente decoradas e iluminadas suavemente por la luz del sol. Nadie antes que Van Eyck había sabido fascinar con los colores de forma tan brillante y delicada. La mayoría de los artistas precedentes empleaban toscos colores al temple, con los que no se alcanzaba a representar la sutileza de los velos transparentes o la aterciopelada luminosidad de los costosos tejidos. Van Eyck se servía de la aun novedosa pintura al óleo y dominaba esta técnica como ningún otro. De este modo le era posible mostrar sutiles gradaciones, conferir brillo a los rostros, consistencia aterciopelada a los tejidos y una transparencia luminosa a otras telas.

Hubert, el hermano mayor

El hermano de Jan van Eyck, Hubert, también era un afamado pintor. En una de sus obras conjuntas, el *Políptico de Gante*, quedó reflejado que ya había tomado ventaja sobre su hermano. Hubert inició la pintura del retablo móvil y Jan se unió a él más tarde. En el exterior de las alas se observa una escena de la Anunciación a María, y una vez abierto se muestra la adoración del Cordero en el cuerpo central. Jan completó el retablo tras la muerte de su hermano y retocó también muchas ideas de Hubert. Hoy en día resulta difícil discernir qué ángeles, santos, peregrinos y devotos son de Jan y cuáles de Hubert.

Hacia **1390** Jan van Eyck nace en Maaseyck, cerca de Maastricht.

1422 Es nombrado pintor de la corte del conde Juan III de Holanda en La Haya.

1425 El duque Felipe el Bueno de Borgoña le toma a su servicio.

1425 Un viaje diplomático secreto le lleva a Italia.

1426 Su hermano Hubert muere en Gante.

1428-1429 Van Eyck viaja a Lisboa para retratar a la princesa Isabel.

1430 Adquiere una casa en Brujas.

1436 El pintor emprende un largo viaje, probablemente a Tierra Santa.

1441 Jan van Eyck muere el 23 de junio en Brujas.

LECTURA RECOMENDADA
VV.AA. *Van Eyck*. Madrid: Ediciones del Prado, 1997.

[arriba]
Probable autorretrato: *Hombre con turbante rojo*, 1433. Óleo sobre tabla, 26 x 19 cm. National Gallery, Londres

[izquierda]
Políptico de Gante (cerrado), terminado en 1432. Temple y óleo sobre tabla, aprox. 335 x 229 cm. San Bavón, Gante

Políptico de Gante (abierto), terminado
en 1432. Temple y óleo sobre tabla,
aprox. 335 x 457 cm. San Bavón, Gante

SANDRO BOTTICELLI

LEONARDO DA VINCI

ALBERTO DURERO

1453 Los turcos conquistan Constantinopla

1432 *Políptico de Gante* (Jan van Eyck)　　**1455** Invención de la imprenta (Gutenberg)　　**1469-1492** Lorenzo de Médici gobierna Florencia

RENACIMIENTO TEMPRANO 1400-1475

1400-1475 RENACIMIENTO TEMPRANO

| 1395 | 1400 | 1405 | 1410 | 1415 | 1420 | 1425 | 1430 | 1435 | 1440 | 1445 | 1450 | 1455 | 1460 | 1465 | 1470 | 1475 | 1480 |

[derecha]
Venus y Marte,
Temple y óleo sobre tabla,
70,6 x 176,8 cm. National Gallery, Londres

[abajo]
Nacimiento de Venus, hacia 1485.
Temple sobre lienzo, 172 x 285 cm.
Galería de los Uffizi, Florencia

1503-1506 *Mona Lisa*
(Leonardo da Vinci)

1517 Comienza la Reforma

1529 Los turcos sitian Viena

1492 Viaje de descubrimiento
de Colón a América

1508 Comienzo de los frescos de la
Capilla Sixtina (Miguel Ángel)

RENACIMIENTO PLENO 1475-1600

1485 1490 1495 1500 1505 1510 1515 1520 1525 1530 1535 1540 1545 1550 1555 1560 1565 1570

SANDRO BOTTICELLI

Se le considera el pintor florentino más importante del Renacimiento italiano temprano. Sandro Botticelli fascinaba en sus cuadros de gran formato con el esplendor de los floridos prados de Florencia y el encanto de los héroes, los dioses y los seres fantásticos de la mitología. De esta manera creó una obra en la que se enlazaban el paisaje de su tierra y los mitos de la Antigüedad clásica.

El padre de Botticelli, en realidad, quería convertir a su enfermizo hijo en orfebre. Afortunadamente, este no mostraba para la orfebrería el talento del que hacía gala para el dibujo. Por ello, Botticelli comenzó como aprendiz del famoso pintor Filippo Lippi. Muy pronto aventajó a su maestro en fama y calidad. El Papa se llevó al artista a Roma, donde sus frescos adornan las paredes de la Capilla Sixtina, debajo de los que pintó Miguel Ángel en el techo. Solo al final de su vida, cuando el temido predicador Savonarola arremetió contra el arte pagano en Florencia, abandonó la pintura casi por completo.

Un cliente ilustre

Florencia era entonces una ciudad próspera, entre cuyas familias más influyentes figuraba la de los Médici. Probablemente, Botticelli realizó para ellos su famosa obra *Nacimiento de Venus*. La diosa de la belleza emerge del mar de pie sobre la valva de una ostra. Es conducida hacia la orilla por los dioses del viento bajo una lluvia de rosas, donde una ninfa la espera con el manto de color púrpura. Botticelli representó con perfecta armonía el antiquísimo mito del nacimiento de la belleza. El descendiente más brillante del clan de los Médici era Lorenzo, al que todos llamaban con admiración el Magnífico. Fue él quien encargó a Botticelli pintar un cuadro para la boda de Semiramide Appiani, a quien Lorenzo quería casar con su pupilo Lorenzo di Pierfrancesco de Médici. Tales regalos de boda eran habituales por aquel entonces, y no era extraño que los pintores decorasen con motivos bíblicos, escenas amorosas y de caza los arcones de madera que las novias llevaban al matrimonio como parte de la dote.

Primavera en Florencia

Botticelli representaba el matrimonio como el inicio de una nueva vida. En su cuadro *La primavera* situó a los dioses romanos en el centro de un paisaje italiano. Mercurio ahuyenta las últimas nubes negras con su bastón y la diosa Flora esparce sobre el fértil paisaje las flores que lleva en su vestido. El matrimonio entre Semiramide y Lorenzo tenía que crear un sólido lazo de unión entre las dinastías de los Appiani y los Médici. El amor no estaba presente, todo lo contrario, Semiramide apenas conocía a su futuro marido antes de casarse con él. Así pues, Mercurio, que en la pintura de Botticelli remueve el cielo con su bastón de heraldo, tenía que disipar las nubes de inquietud situadas sobre la cabeza de la novia.

1444 o 1445 Sandro Botticelli nace en Florencia.
1465-1467 Trabaja en el taller del famoso pintor Filippo Lippi.
1470 Botticelli funda su propio taller.
1472 Se convierte en miembro de la hermandad de pintores Compagnia di San Luca.
1475 La rica familia Médici se convierte en su cliente más importante.
1480 El papa Sixto IV hace venir al pintor a Roma.
1492 Muerte de Lorenzo de Médici. Botticelli cae bajo la influencia del fanático dominico Savonarola.
1510 Sandro Botticelli muere el 17 de mayo en Florencia, su ciudad natal.

LECTURA RECOMENDADA
Absire, Alain. *Alessandro, o la guerra de los perros.* Barcelona: Aurea Editores, 2006.

[arriba]
Autorretrato, detalle de *La adoración de los Reyes Magos*, hacia 1477-1478.
Temple sobre tabla, 111 x 134 cm.
Galería de los Uffizi, Florencia

[siguiente página doble]
La primavera (detalle), hacia 1478.
Temple sobre tabla, 203 x 314 cm.
Galería de los Uffizi, Florencia

1432 *Políptico de Gante*
(Jan van Eyck)

1453 Los turcos conquistan Constantinopla

1455 Invención de la imprenta (Gutenberg)

RENACIMIENTO TEMPRANO 1400-1475

1400-1475 RENACIMIENTO TEMPRANO

1395   1400   1405   1410   1415   1420   1425   1430   1435   1440   1445   1450   1455   1460   1465   1470   1475   1480

El carro de heno, hacia 1500. Óleo sobre tabla, 135 x 100 cm. Museo del Prado, Madrid

1485 *Nacimiento de Venus* (Botticelli)   **1503-1506** *Mona Lisa* (Leonardo da Vinci)   **1529** Los turcos sitian Viena

1492 Viaje de descubrimiento de Colón a América   **1517** Comienza la Reforma
1519 Carlos V es coronado emperador de Alemania

RENACIMIENTO PLENO 1475-1600

1485   1490   1495   1500   1505   1510   1515   1520   1525   1530   1535   1540   1545   1550   1555   1560   1565   1570

HIERONYMUS BOSCH, EL BOSCO

Con sus cuadros enigmáticos y a menudo sombríos, llenos de acontecimientos extraños y espantosos monstruos, el pintor holandés Hieronymus Bosch desconcertaba a sus semejantes. El tríptico El jardín de las delicias *se considera su obra maestra.*

Se conoce poco de la vida de El Bosco. Bautizado con el nombre de Jheronimus Anthonissen van Aken, más tarde eligió el nombre de su ciudad natal, 's-Hertogenbosch, como nombre artístico. El Bosco se trasladó tras su boda al distinguido lado norte de la plaza del mercado de la entonces floreciente ciudad comercial. Pertenecía a la hermandad de Nuestra Señora, una comunidad de creyentes adeptos a la Virgen conocida por sus opíparos banquetes y sus procesiones marianas, en las que también aparecían actores representando a demonios. La fe en Dios y la creencia en el demonio estaban entonces muy arraigadas en la gente. La propia creencia de El Bosco en el cielo, el infierno y el purgatorio se refleja en muchas de sus pinturas.

Criaturas fantásticas

Tan escasos son los datos sobre la vida de El Bosco como fantásticas y variadas son sus pinturas. Esto es especialmente cierto en el caso del tríptico de *El jardín de las delicias*, que también contiene el tema de la alegría de vivir. Unicornios y otras criaturas

fabulosas conviven en armonía con elefantes y enormes aves. Los hombres son alimentados por patos, otros se arrastran dentro de cáscaras de huevo, corren sobre sus manos o revolotean dentro de la bolsa amniótica. Los peces tienen alas o sirven de lanzas a jinetes desnudos, los gatos llevan cuernos, los perros corren sobre dos patas por extraños parajes. También se observan monstruos y seres demoniacos así como crueldad y tormento que causan escalofríos al espectador.

Este tipo de pinturas nunca se había visto antes, pero incluso monarcas y cardenales enviaban a sus embajadores al norte de Brabante para encargar obras al pintor. Un «Bosco auténtico» era la joya de cualquier colección de arte que se preciara.

Una pintura llena de sorpresas

El tríptico *El jardín de las delicias* muestra por fuera la creación del mundo, todo en grisalla. Apenas se abren las alas, se vuelve sorprendentemente colorido y magnífico, lleno de vida. El Bosco creó con su *Jardín de las delicias* tres representaciones diferentes del mundo. Sobre el ala izquierda representó el Paraíso; en primer plano Dios reúne a Adán y Eva. Sobre el enorme panel central pululan personas desnudas y animales exóticos. La tabla de la derecha muestra el Infierno, donde se hallan las personas que han caído en la tentación del vicio, arden las casas y las guerras hacen estragos. La gran popularidad de la pintura de El Bosco se refleja en el hecho de que muchos pintores falsificasen sus cuadros. Algunos colgaban sus copias en la chimenea para oscurecerlas y conseguir que parecieran más antiguas. Hoy en día se puede determinar la edad de la tabla sobre la que los artistas pintaron sus cuadros, por lo que sabemos con bastante certeza qué pinturas pertenecen a El Bosco y cuáles no.

Hacia **1450** El Bosco nace en 's-Hertogenbosch, cerca de Eindhoven.

1481 Se casa con Aleyt van de Mervenne, hija de una familia influyente.

1486 Se convierte en miembro de la hermandad de Nuestra Señora.

1516 El Bosco es enterrado el 9 de agosto en 's-Hertogenbosch, su ciudad natal.

LECTURA Y PÁGINA WEB RECOMENDADAS
VV.AA. *El Bosco y la tradición pictórica de lo fantástico.* Barcelona: Galaxia Gutenberg, 2006.
www.boschuniverse.org ofrece mucha información, cuadros y juegos.

[arriba]
Autorretrato, detalle del interior del ala izquierda del tríptico *Las tentaciones de san Antonio,* hacia 1500. Óleo sobre tabla, alas laterales, cada una 131,5 x 53 cm. Museo Nacional de Arte Antiguo, Lisboa

[izquierda]
El jardín de las delicias, hacia 1510. Óleo sobre tabla, ala exterior, cada una 220 x 97 cm. Museo del Prado, Madrid

LEONARDO DA VINCI ▬▬▬▬▬▬

MIGUEL ÁNGEL BUONARROTI ▬▬▬▬

RAFAEL ▬▬▬

1432 *Políptico de Gante* (Jan van Eyck)   **1453** Los turcos conquistan Constantinopla

1434-1464 Cosimo de Médici
gobierna en Florencia

1469-1492 Lorenzo de Médici
gobierna en Florencia

RENACIMIENTO TEMPRANO 1400-1475

1400-1475 RENACIMIENTO TEMPRANO   RENACIMIENTO PLENO 1475-1600

| 1400 | 1405 | 1410 | 1415 | 1420 | 1425 | 1430 | 1435 | 1440 | 1445 | 1450 | 1455 | 1460 | 1465 | 1470 | 1475 | 1480 | 1485 |

Mona Lisa, 1503-1506. Óleo sobre tabla,
77 x 53 cm. Museo del Louvre, París

1491 Enrique VIII,
rey de Inglaterra

1510 *El jardín de las delicias* (El Bosco)

1514 Se publica *El príncipe*, de Nicolás Maquiavelo

1506 Inicio de las nuevas obras de la
catedral de San Pedro en el Vaticano

1529 Los turcos sitian Viena

1490   1495   1500   1505   1510   1515   1520   1525   1530   1535   1540   1545   1550   1555   1560   1565   1570   1575

LEONARDO DA VINCI

Ningún otro tuvo intereses tan variados ni fue tan prolífico en sus invenciones e investigaciones como el artista renacentista italiano Leonardo da Vinci, procedente de la pequeña aldea Vinci. Con la Mona Lisa *creó el cuadro más célebre del mundo.*

Cuando Leonardo paseaba con sus alumnos por la plaza del mercado de Florencia, le gustaba ir a los puestos de vendedores de pájaros. Compraba unos cuantos pájaros, los sacaba de sus jaulas y los liberaba. Uno de los mayores sueños de Leonardo era elevarse él mismo por el aire algún día. En su cuaderno de bocetos dibujó un paracaídas, un planeador y un helicóptero. Leonardo anotó sus observaciones sobre las aves con escritura invertida para no emborronar la tinta mientras escribía, ya que era zurdo. Al lado, garabateó imágenes que querían mostrar cómo movían sus alas las aves. La observación de la naturaleza y la pintura constituían para Leonardo una unidad: el arte tenía que ayudar a entender mejor el mundo.

La sonrisa más famosa del mundo

Tras su formación junto al escultor Andrea del Verrocchio en Florencia, Leonardo fue admitido en el Gremio de Pintores de San Lucas, asociación muy conocida en Florencia que llevaba el nombre del patrón de los pintores. Pronto alcanzó la fama como pintor dentro y fuera de Florencia, aunque también como arquitecto e ingeniero. El príncipe Ludovico Sforza reclamó su presencia en Milán para la construcción de puentes, catapultas y cañones, y el papa León X le invitó a Roma. Más tarde, trabajó para el rey francés Francisco I, quien le nombró «primer arquitecto, pintor e ingeniero del rey». Leonardo pintó en Milán *La última cena*, y, tras su regreso a Florencia, la *Mona Lisa*, el cuadro más célebre del mundo, en el que retrata probablemente a la mujer de un comerciante florentino. Leonardo apreciaba tanto el cuadro que incluso lo llevaba consigo en sus viajes. Los elementos paisajísticos representados en el fondo del cuadro no están claramente delimitados entre sí, sino que se funden como en una bruma. Esta técnica pictórica recibe el nombre de *sfumato*, término que procede de la palabra italiana *fumo*, 'humo'.

Descubrimientos y contratiempos

Leonardo también tuvo que soportar algunos fracasos en sus numerosos experimentos. En la mezcla de colores para *La última cena* quizá intentó desarrollar una nueva técnica, pero la pintura ya se escamaba mientras estaba pintando, por lo que el cuadro tuvo que someterse a una laboriosa restauración hace algún tiempo. El intento de volar también le resultó difícil, pues el helicóptero de Leonardo no se movió del sitio. Y cuando Salai, discípulo de Leonardo, intentó elevarse en el aire con el planeador desde una colina cercana a Florencia, se precipitó al vacío y se lesionó. Leonardo no intentó nunca más construir un planeador después de aquel suceso. En cualquier caso, debe ser considerado un auténtico genio universal. No solo sabía dibujar, pintar y componer música, sino que realizó asombrosos descubrimientos. Observó, por ejemplo, que el sol no se mueve en el firmamento, como se creía entonces.

1452 Leonardo nace el 15 de abril en la aldea Vinci, cerca de Florencia.
1469 Se forma en el taller de Andrea del Verrocchio.
1472 Leonardo se convierte en maestro del Gremio de San Lucas de Florencia.
1482 El príncipe Ludovico Sforza reclama su presencia en Milán.
1500 Vuelve a Florencia.
1513 El papa León X invita a Leonardo a Roma.
1516 Leonardo visita a Francisco I en Francia.
1519 Muere el 2 de mayo en el castillo de Cloux, cerca de Amboise.

PÁGINAS WEB Y MUSEOS RECOMENDADOS
La ciudad natal de Leonardo rinde homenaje a su hijo más famoso en un museo propio:
www.leonet.it/comuni/vinci
En el Museo de Ciencias de Boston se pueden admirar de cerca inventos de Leonardo: www.mos.org/leonardo

[arriba]
Autorretrato, hacia 1516. Dibujo a sanguina, 33,2 x 21,2 cm. Biblioteca Real, Turín

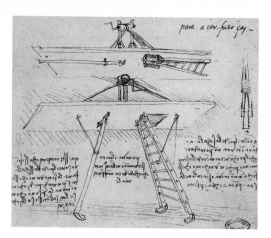

[izquierda]
Avión con escalas para aterrizar.
Manuscrito D. Institut de France,
París

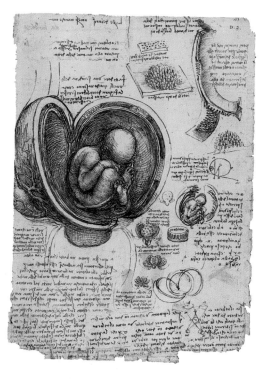

[arriba]
Feto humano en útero abierto,
1511-1513. Colección Real,
Castillo de Windsor

La última cena, 1495-1497. Temple y óleo sobre revoque, 460 x 880 cm. Convento Santa Maria delle Grazie, Milán

1455 Invención de la imprenta (Gutenberg)

1485 *Nacimiento de Venus* (Botticelli)

1473 Nacimiento de Nicolás Copérnico

RENACIMIENTO PLENO 1475-1600

1410 1415 1420 1425 1430 1435 1440 1445 1450 1455 1460 1465 1470 1475 1480 1485 1490 1495

Liebre, 1502. Acuarela, aguada y tinta
sobre papel, 25 x 25 cm. Albertina, Viena

1503-1506 *Mona Lisa* (Leonardo da Vinci)

1529 Los turcos sitian Viena

1546 Apogeo de la potencia económica de los Fúcar

1512-1514 *Madonna Sixtina* (Rafael)

1517 Comienza la Reforma

1534 Enrique VIII funda la Iglesia anglicana

| 1500 | 1505 | 1510 | 1515 | 1520 | 1525 | 1530 | 1535 | 1540 | 1545 | 1550 | 1555 | 1560 | 1565 | 1570 | 1575 | 1580 | 1585 |

ALBERTO DURERO

El pintor, dibujante y grabador alemán Alberto Durero era un auténtico narcisista. Ningún otro artista de su tiempo creó tantos autorretratos. Y ningún pintor del norte de los Alpes supo plasmar con un estilo tan independiente las nuevas ideas del Renacimiento italiano en las pinturas y en los grabados en madera y metal.

Su primer autorretrato muestra a Durero a la edad de 13 años, cuando aun era aprendiz en el prestigioso taller de orfebrería de su padre en Nuremberg. Más tarde escribió orgulloso junto a la imagen: «Yo mismo me retraté mirándome en un espejo cuando todavía era un niño».

A la edad de 29 años se inmortalizó con una buena dosis de vanidad y narcisismo en su *Autorretrato con pelliza*. Entretanto, había contraído matrimonio con Agnes Frey, hija de un rico comerciante, había viajado a Venecia y dirigía su propio taller de pintura en Nuremberg.

Nueva conciencia individual

En la Edad Media, los artistas se concebían como simples artesanos, pero los colegas de Durero procedentes de Venecia, Roma y Florencia ya se consideraban creadores de un arte que se situaba a la misma altura que las obras de los mayores poetas y filósofos. Con Durero y otros artistas viajeros, no solo llegó el arte del Renacimiento desde Italia atravesando

los Alpes, sino que, al mismo tiempo, llegó esta nueva forma de entenderlo. Esto se desprende asimismo de su *Autorretrato con pelliza*: Durero había evolucionado de artesano a artista.

Durero vivía de los encargos que el hacían el príncipe elector de Sajonia, los burgueses de Nuremberg y el emperador Maximiliano, por lo que no tardó en ser nombrado miembro del Gran Consejo de su ciudad natal y, con ello, se convirtió en uno de sus habitantes más ilustres.

Los cánones de belleza

Durero era una persona crítica y observadora para su tiempo. En Italia aprendió las reglas de la perspectiva con el fin de crear en sus pinturas la ilusión de la profundidad espacial. Inventó un instrumento para facilitar la pintura, utilizó diferentes clases de papel con el fin de conseguir efectos poco comunes y ejerció el difícil arte de la xilografía y la calcografía hasta la perfección. La doctrina de la Reforma, con la que simpatizaba Durero, también se reflejó en sus cuadros. Dado que los encargos de cuadros de temática religiosa fueron cada vez más escasos en los tiempos de la Reforma, muchos artistas del Renacimiento alemán crearon sobre todo paisajes y retratos. Durero no solo se observaba a sí mismo, sino también la naturaleza circundante. Nadie podía pintar una hierba de manera tan convincente ni reproducir una liebre con una fidelidad tan notable como el artista de Nuremberg. Durero se ocupó durante mucho tiempo de las proporciones perfectas que debía tener el cuerpo humano para ser considerado perfectamente bello. Más tarde, recogió estos cánones de belleza en su tratado sobre las proporciones.

El artista también plasmó la belleza del paisaje en sus acuarelas, que muestran sobre todo los alrededores de Nuremberg y vistas de su primer viaje a Italia, como la pequeña ciudad de Arco en medio de olivares. En cierta ocasión escribió: «El mejor sentido de todos es la vista». Por ello, lo que percibía el ojo del artista debía quedar inmortalizado.

1471 Alberto Durero nace el 21 de mayo en Nuremberg.

1484 Con 13 años dibuja un autorretrato.

1486 Comienza como aprendiz en el taller del mejor pintor de Nuremberg, Michael Wolgemut.

1490-1494 Durero viaja a Colmar y Basilea.

1494 Se casa con Agnes Frey y viaja en 1495 por primera vez a Italia.

1500 Pinta el famoso *Autorretrato con pelliza*.

1505-1506 Durero emprende un nuevo viaje a Italia.

1509 Se convierte en miembro del consejo municipal de Nuremberg y adquiere la «casa de Durero».

1520 El pintor viaja con Agnes a los Países Bajos.

1528 Publica su tratado sobre las proporciones.

1528 Alberto Durero muere el 6 de abril en Nuremberg, su ciudad natal.

MUSEO RECOMENDADO
En Nuremberg se puede visitar la casa de Durero, que alberga en la actualidad un museo sobre la vida y obra del maestro: www.museen.nuernberg.de/duerer

[arriba]
Autorretrato con paisaje (detalle), 1498. Óleo sobre tabla, 52 x 41 cm. Museo del Prado, Madrid

[izquierda]
Autorretrato a la edad de 13 años, 1484. Dibujo a punta de plata, 27,5 x 19,6 cm. Albertina, Viena

1500

ÆD

Albertus Durerus Noricus
ipsum me proprijs sic effin-
gebam coloribus ætatis
anno XXVIII.

LUCAS CRANACH EL VIEJO ══════════════════════════

ALBERTO DURERO ═══════════════════════

MIGUEL ÁNGEL BUONARROTI ═══════════════════

1455 Invención de la imprenta (Gutenberg)

1503-1506 *Mona Lisa*
(Leonardo da Vinci)

1485 *Nacimiento de Venus* (Botticelli)

RENACIMIENTO PLENO 1475-1600

| 1430 | 1435 | 1440 | 1445 | 1450 | 1455 | 1460 | 1465 | 1470 | 1475 | 1480 | 1485 | 1490 | 1495 | 1500 | 1505 | 1510 | 1515 |

[arriba izquierda]
Martín Lutero, 1551.
20,5 x 14,5 cm.
Museo Herzog- Anton-
Ulrich, Braunschweig

[arriba derecha]
Descanso en la huída a Egipto,
1504. Óleo y temple sobre
tabla, 69 x 51 cm.
Gemäldegalerie, Museos
Estatales de Berlín

[derecha]
La fuente de la juventud, 1546.
121 x 184 cm. Gemäldegalerie,
Museos Estatales de Berlín

1520 1525 1530 1535 1540 1545 1550 1555 1560 1565 1570 1575 1580 1585 1590 1595 1600 1605

LUCAS CRANACH EL VIEJO

Ya de joven, el pintor, dibujante y grabador alemán Lucas Cranach definió el estilo de la denominada Escuela del Danubio. Adquirió fama por la representación de hermosos desnudos femeninos y por sus retratos del reformador Martín Lutero.

El padre de Cranach era pintor y bautizó a su hijo con el nombre de Lucas, patrón de los pintores, con el deseo evidente de que abrazara esta profesión. El artista cambiaría más tarde su apellido por el nombre de su ciudad natal, Kronach. La dinastía de pintores de los Cranach perduraría en total más de cien años.

Lucas Cranach era un buen comerciante. Poseía una farmacia, una imprenta propia y una taberna con licencia para vender bebidas. Su gran pasión, sin embargo, era el arte. En Viena, donde permaneció de 1500 a 1504, causó sensación con algunos retratos de eruditos y sus esposas, aunque también con cuadros de escenas bíblicas. A diferencia de los artistas de la Edad Media, para los que el paisaje no tenía ninguna importancia, Cranach reproducía la naturaleza con colores vivos, en la que los hombres aparecían como parte de la grandiosa creación divina. Otros artistas de la región del Danubio, como Albrecht Altdorfer, manifestaban una pasión similar por la naturaleza, por lo que se les agrupa bajo el nombre de Escuela del Danubio.

Un artista polifacético

A Cranach le gustaba representar a los santos con ropajes de moda. Asimismo cabe destacar el encanto especial de sus representaciones de hermosas muchachas que a menudo van vestidas solo con un velo transparente o elegantes sombreros y que miran con aire seductor. De esta manera representó a Eva, a la diosa Venus o a las náyades. Sin embargo, quien miraba con atención, podía reconocer en sus rostros a la hija, esposa o amante de los burgueses que habían encargado el cuadro.

La fama del artista llegó hasta el príncipe elector Federico el Sabio de Sajonia, quien le nombró pintor de cámara vitalicio en Wittenberg. Pronto adquirió fama de ser el «pintor más rápido» de la región. Junto a sus ayudantes, Cranach producía pinturas, acuarelas o calcografías por encargo, como en una cadena de montaje. Además, tenía que decorar los castillos del príncipe elector, acompañarle a batallas y cacerías, decorar muebles y crear gualdrapas para los torneos. Incluso cuando su soberano cayó prisionero, tuvo que irse con él y animarle con sus pinturas.

El primer retratista de Lutero

El hombre más importante de los cuadros de Cranach, sin embargo, no era un príncipe elector, sino el famoso eclesiástico disidente Martín Lutero. Lutero era el padrino de la hija de Cranach, Anna; el pintor asistió en calidad de testigo a la boda del reformador. Cranach imprimió la traducción de la Biblia de Lutero, para la que también creó los grabados, y realizó numerosos retratos del amigo que muestran a Lutero como un pensador enérgico y tenaz. Esta imagen de Lutero dibujada por Cranach es la que ha perdurado hasta nuestros días. Todos los artistas posteriores copiaron de Cranach sus retratos del reformador.

1472 Lucas Cranach nace en octubre en Kronach.

1500-1504 Trabaja en Viena.

1505 Como pintor de cámara de Federico el Sabio se traslada a Wittenberg.

1520 Martín Lutero oficia de padrino de bautismo de Anna, la hija de Cranach.

1523 Cranach inaugura una imprenta en Wittenberg.

1525 Es testigo de boda de Lutero en su matrimonio con Katharina von Bora.

1528 Cranach se convierte en el segundo ciudadano más rico de Wittenberg.

1547 El cargo de pintor de la corte queda anulado durante tres años.

1550 Entrega el taller de pintura a su hijo, Lucas Cranach el Joven.

1553 Cranach muere el 16 de octubre en Weimar.

PÁGINA WEB RECOMENDADA

En la página www.cranach.de se encuentran enlaces sobre las obras de Lucas Cranach.

La Reforma

La reforma promovida por Martín Lutero dividió la cristiandad europea en católicos y protestantes. Lutero protestó contra la práctica de la Iglesia católica de «perdonar» los pecados mediante la venta de bulas. Estaba convencido de que la salvación del hombre dependía de la Gracia de Dios y rechazaba la idea católica del infierno, lo que influyó a muchos pintores que dejaron también de representarla en sus cuadros. Durante la Reforma se retiraron de las iglesias y se destruyeron numerosas pinturas y esculturas. «No te harás ninguna imagen» dice un mandamiento bíblico, y algunos reformadores se lo tomaron demasiado en serio. Lutero se volvió contra los «iconoclastas» y con ello tomó partido a favor de su amigo Cranach, que también había pintado altares, y del arte.

[arriba]

Alberto Durero, *Lucas Cranach* (detalle), 1525. Dibujo a punta de plata, 16,2 x 11 cm. Museo Bonnat, Bayona

MIGUEL ÁNGEL BUONARROTI ════════════

TIZIANO ════════════

RAFAEL ════════════

1469-1492 Lorenzo de Médici
gobierna Florencia

1506 Inicio de las nuevas obras de la
catedral de San Pedro en el Vaticano

1503-1506 *Mona Lisa* (Leonardo da Vinci)

1512-1514 *Madonna Sixtina* (Rafael)

RENACIMIENTO PLENO 1475-1600

| 1430 | 1435 | 1440 | 1445 | 1450 | 1455 | 1460 | 1465 | 1470 | 1475 | 1480 | 1485 | 1490 | 1495 | 1500 | 1505 | 1510 | 1515 |

[arriba]
David, 1501-1504. Mármol, altura 550 cm.
Galería de la Academia, Florencia

[izquierda]
El Juicio Final (fragmento),
1535-1541. Fresco, aprox. 17 x 13 m.
Capilla Sixtina, Vaticano, Roma

1520-1521 Vuelta al mundo de Magallanes

1529 Los turcos sitian Viena

1541 España conquista el reino maya en Centroamérica

1571 Batalla de Lepanto: fin de la supremacía naval de los turcos

1514 Se publica *El príncipe*, de Nicolás Maquiavelo

1475-1600 RENACIMIENTO PLENO

1520 1525 1530 1535 1540 1545 1550 1555 1560 1565 1570 1575 1580 1585 1590 1595 1600 1605

MIGUEL ÁNGEL

El escultor, pintor, arquitecto y poeta Miguel Ángel Buonarroti fue, junto con Leonardo da Vinci, el mayor genio del Renacimiento. Sus contemporáneos le denominaron el Divino a causa de la plenitud de su arte. Sus esculturas y frescos figuran entre las obras artísticas más grandiosas de la historia universal.

Miguel Ángel puso a la pintura de vuelta y media. En su opinión, los pinceles y colores eran un pasatiempo para artistas indolentes, y solo las mujeres incultas y necias podían gozar de la pintura. Él, en cambio, quería lograr grandes obras como escultor. Puesto que el marido de su niñera era picapedrero, Miguel Ángel había casi mamado el uso del martillo y el cincel con la leche materna. Más tarde, en la academia del rico y culto Lorenzo de Médici, tuvo ocasión de admirar las esculturas de la Antigüedad. Miguel Ángel incluso diseccionaba cuerpos y estudiaba su anatomía con el fin de poder representar músculos, venas y miembros con el mayor realismo posible. Sus hermosas figuras están logradas con tal perfección que no se observa ningún golpe de cincel en la pulida y lisa superficie del cuerpo.

El artista afirmaba a veces en tono filosófico que la escultura, como idea, ya estaba oculta en el mármol y que él simplemente la había rescatado. Este pensamiento se puede vislumbrar en un grupo de esculturas de esclavos. Parece como si hubieran estado encerrados en la piedra hasta entonces y hubieran tenido que liberarse con la ayuda del artista de su pesada envoltura en una lucha desesperada.

Siete campos de bádminton cubiertos de pinturas

En 1508, el papa Julio II requirió a Miguel Ángel en Roma. El artista confiaba aun por aquel entonces en que se le ordenase continuar con los trabajos de la magnífica tumba compuesta por cuarenta esculturas que el Papa le había encargado. Sin embargo, Julio II tenía proyectado que Miguel Ángel adornase con pinturas el techo de la capilla del palacio papal. Malas lenguas afirmaban que influyentes escultores italianos habrían sugerido esta idea a Julio II con el fin de librarse de un incómodo rival promoviendo su dedicación a la pintura.

Miguel Ángel se resistió durante un tiempo y finalmente aceptó el reto. Al fin y al cabo, en las paredes de la Capilla Sixtina ya se encontraban los frescos de Botticelli, Ghirlandaio, maestro de Miguel Ángel, y otros famosos artistas del primer Renacimiento, a los que había que superar. El techo de la capilla era gigantesco, y la tarea parecía casi sobrehumana. No obstante, Miguel Ángel quiso llevarla a cabo en solitario, no confiaba ni una pincelada a oficiales o ayudantes. Los escultores italianos se frotaron satisfechos las manos, pues por aquel entonces Rafael era considerado el pintor más grande, de modo que el arrogante Miguel Ángel estaba condenado a hacer el ridículo.

Un cliente impaciente

Miguel Ángel permaneció en solitario durante cuatro años, con el brazo extendido en una postura incómoda sobre el andamio de madera que había construido. La rapidez era común entre los que pintaban frescos, puesto que los colores se secaban muy rápido sobre el revoque fresco. Cada trazo debía estar terminado al caer la noche. La pintura le goteaba una y otra vez sobre el rostro, como él mismo expresó en uno de sus sonetos. Pero a pesar del dolor, Miguel Ángel no quiso abandonar de ninguna de las maneras.

El Papa, impaciente, apenas había podido aguantar la espera: por fin Miguel Ángel había acabado la monumental obra con su aglomeración de casi 300 figuras y las historias bíblicas sobre la creación del mundo, el diluvio o el pecado original. Se trataba en aquel entonces del mayor fresco de techo del mundo, creado por un único artista. Julio II murió poco tiempo después: se diría que había esperado únicamente para poder admirar esta maravilla. Miguel Ángel había superado con su fresco incluso a Rafael, como llegarían a admitir sus adversarios más enconados.

El Juicio Final

Miguel Ángel volvió años más tarde a la Capilla Sixtina con el fin de decorar con un fresco la enorme pared de detrás del altar. Eligió como tema el Juicio Final. El hecho de que pintase a los bienaventurados

1475 Miguel Ángel Buonarroti nace el 6 de marzo en Caprese, cerca de Florencia.

1488 Se formó con el famoso artista renacentista Ghirlandaio.

1489 Lorenzo de Médici le admite en su academia.

1505 El papa Julio II le encarga su tumba.

1508 Miguel Ángel empieza a pintar la Capilla Sixtina.

1529 Es nombrado ingeniero militar de Florencia y debe exiliarse en Venecia.

1535 El papa Pablo III le nombra primer escultor, pintor y arquitecto del Vaticano.

1541 Se presenta *El Juicio Final*.

1546 El artista se convierte en arquitecto de la catedral de San Pedro.

1564 Miguel Ángel Buonarroti muere el 18 de febrero en Roma.

LECTURA Y PÁGINA WEB RECOMENDADAS
Forcellino, Antonio. *Miguel Ángel: una vida inquieta*. Madrid: Alianza Editorial, 2005. Se puede realizar una visita virtual de la Capilla Sixtina en el Vaticano: www.mv.vatican.va

[arriba]
Daniele da Volterra, *Michelangelo Buonarroti* (detalle), hacia 1548-1553. Creta negra, 29,5 x 21,8 cm. Museo Teylers, Haarlem

Techo de la Capilla Sixtina,
1508-1512. Fresco, 13,7 x 39 m.
Vaticano, Roma

El Renacimiento pleno

Mientras que el Renacimiento temprano nació en Florencia, el Renacimiento pleno halló un nuevo centro en Roma a principios del siglo XVI. En especial, el Papa, desde el Vaticano, reclamaba la presencia de muchos artistas importantes en la ciudad. La construcción de la catedral de San Pedro fue el principal proyecto. La armonía divina tenía que reflejarse en el arte, en el orden inteligente de edificios, esculturas y pinturas, en la belleza de los rostros y de los cuerpos arqueados con garbo. Entre los pintores, escultores y arquitectos importantes del Renacimiento pleno destacan, junto a Miguel Ángel, Leonardo da Vinci, Giorgione, Rafael, Correggio y Tiziano. El Renacimiento pleno finalizó con el saqueo de Roma por las tropas del emperador Carlos V el 6 de mayo de 1527.

y a los condenados desnudos como Dios los había creado, hizo enrojecer de vergüenza al Papa y a su maestro de ceremonias, Biagio da Cesena. No solo Cesena se desató en improperios contra una pintura que, en su opinión, sería más apropiada para unos baños que para una capilla. El papa Pío V encomendó más tarde a otro artista cubrir con pudorosa vestimenta las grandiosas figuras. Miguel Ángel se vengó, por cierto, de Biagio da Cesena de manera mordaz: su retrato está condenado a arder en el infierno representado en el Juicio Final.

El mejor pintor sin quererlo

Además de la Capilla Sixtina, Miguel Ángel creó numerosas pinturas y esculturas a lo largo de su vida, que alimentaron continuamente su fama como el mayor artista del Renacimiento en su apogeo. Trabajó para el papa León X y para la acaudalada familia de banqueros de los Médici, creó fachadas de iglesias y proyectó la reforma arquitectónica de la catedral de San Pedro de Roma. Aunque Miguel Ángel solo quiso ser escultor, también fue uno de los mejores pintores y arquitectos del mundo.

1453 Los turcos conquistan
Constantinopla

1492 Viaje de descubrimiento
de Colón a América

1503-1506 *Mona Lisa*
(Leonardo da Vinci)

1512-1514 *Madonna*
Sixtina (Rafael)

RENACIMIENTO PLENO 1475-1600

1430   1435   1440   1445   1450   1455   1460   1465   1470   1475   1480   1485   1490   1495   1500   1505   1510   1515

Carlos V sentado, 1548. Óleo sobre
lienzo, 205 x 122 cm. Alte Pinakothek,
Munich

PIETER BRUEGEL
EL VIEJO

1529 Los turcos sitian Viena

1541 Finalización de los frescos de la
Capilla Sixtina (Miguel Ángel)

1567 Nacimiento de Claudio Monteverdi

1588 Derrota de la Armada
Invencible española
1590 Finaliza la construcción de
la cúpula de la catedral
de San Pedro

1475-1600 RENACIMIENTO PLENO

1520 1525 1530 1535 1540 1545 1550 1555 1560 1565 1570 1575 1580 1585 1590 1595 1600 1605

TIZIANO

Nadie supo pintar a los santos bíblicos y a los héroes de la mitología clásica de manera tan impresionante y brillante como el italiano Tiziano. Sus retratos conferían una asombrosa magnificencia a los emperadores y papas. Muchas de las refinadas ideas de Tiziano sobre pintura fueron imitadas en el barroco. Fue uno de los pintores más importantes del Renacimiento pleno en Venecia.

En su juventud, Tiziano recibió el encargo de decorar el altar de la iglesia de Santa Maria Gloriosa dei Frari en Venecia con un cuadro de la asunción de María. Por aquel entonces, numerosos artistas reflexionaban sobre los efectos pictóricos que podían simular el movimiento dramático en una pintura estática. Tiziano encontró una respuesta sorprendente mediante el uso de colores brillantes, el amarillo fuerte y el rojo, por cuyo aterciopelado tono se haría famoso, así como por posturas novedosas para la época y torsiones en espiral en sus figuras. En su pintura de casi siete metros de altura, la Virgen se eleva entre los ángeles desde la oscuridad terrenal hacia el cielo radiante. Este cuadro lleno de fuerza y dinamismo fue para sus colegas casi un milagro similar al de la ascensión de la Virgen.

Retratista solicitado

Con su *Asunción de la Virgen*, Tiziano se convirtió prácticamente de la noche a la mañana en el pintor más solicitado de la próspera ciudad de Venecia. En especial sus retratos estaban muy cotizados. También en este terreno encontró su propia técnica el mago de los colores. En primer lugar, pintaba los rostros tal y como los veía, después aplicaba encima un velo en tonos suaves bajo el cual desaparecían como por encanto las narices torcidas, las arrugas gruesas y las ojeras oscuras. A la luz halagüeña del tratamiento de belleza de Tiziano, los clientes parecían, pese al gran parecido, más dignos, jóvenes y bellos; y estaban contentos. El papa Pablo III se quedó tan impresionado por la sensual fuerza luminosa de estos cuadros, que el artista tuvo que retratar en Roma a toda la familia pontificia, «incluidos los gatos». Miguel Ángel, rival de Tiziano, sintió envidia por este favor; según dicen, mostró una gran satisfacción con la marcha de Tiziano.

Pintor de cámara del emperador

Carlos V también era un gran admirador del magnífico arte de Tiziano. Cuando fue coronado emperador de Alemania, el veneciano recibió el encargo de pintar el cuadro de la suntuosa coronación. El soberano estaba tan entusiasmado con Tiziano, que le nombró conde palatino y pintor de cámara. Tiziano retrató al emperador unas veces como glorioso jefe militar y otras veces sentado exhausto en una butaca. Tiziano no estaba obligado a vivir en la corte imperial pese a su cargo, una concesión muy importante para el artista, pues no le gustaba alejarse de su ciudad natal. Venecia había hecho de él un gran pintor y allí quería permanecer. En la vejez se le fueron las ganas de pintar retratos y en ocasiones se limitaba a esbozar los contornos de su cliente y no retomaba el cuadro hasta mucho tiempo después. Podían pasar meses hasta que un cuadro quedaba terminado.

Hacia **1477** o **1488** Tiziano Vecellio nace en Pieve di Cadore.
1508 Trabaja con el pintor Giorgione en Venecia.
1513 El papa León X le invita a Roma, pero Tiziano rehúsa agradecido.
1530 Tiziano recibe el encargo de pintar el cuadro de la coronación de Carlos V.
1533 El emperador nombra a Tiziano pintor de cámara y le da un título nobiliario.
1541 Tiziano obtiene una renta del emperador.
1545 Trabaja para el papa Pablo III en Roma.
1548 Carlos V le lleva consigo a la Dieta Imperial celebrada en Augsburgo.
1553 Trabaja para el sucesor de Carlos, Felipe II.
1576 Tiziano muere el 27 de agosto en Venecia.

[arriba]
Autorretrato (detalle), hacia 1550. Óleo sobre lienzo, 96 x 75 cm. Gemäldegalerie, Museos Estatales de Berlín

[izquierda]
Papa Pablo III, 1543. Óleo sobre lienzo, 106 x 85 cm. Museo y Galería Nacional de Capodimonte, Nápoles

[arriba]
Venus de Urbino, 1538. Óleo sobre lienzo,
119 x 165 cm. Galería de los Uffizi, Florencia

[página derecha]
Asunción de la Virgen (Assunta), 1516-1518.
Óleo sobre tabla, 690 x 360 cm. Santa
Maria Gloriosa dei Frari, Venecia

1469-1492 Lorenzo de Médici gobierna Florencia

1485 *Nacimiento de Venus* (Botticelli)

1506 Inicio de las nuevas obras de la catedral de San Pedro en el Vaticano

1503-1506 *Mona Lisa* (Leonardo da Vinci)

RENACIMIENTO PLENO 1475-1600

1430 1435 1440 1445 1450 1455 1460 1465 1470 1475 1480 1485 1490 1495 1500 1505 1510 1515

Madonna Sixtina, 1512-1514. Óleo sobre lienzo, 265 x 196 cm. Galería de los Antiguos Maestros, Dresde

1541 Finalización de los frescos de la
Capilla Sixtina (Miguel Ángel)

1529 Los turcos sitian Viena

1588 Derrota de la Armada
Invencible española

1475-1600 RENACIMIENTO PLENO

1520   1525   1530   1535   1540   1545   1550   1555   1560   1565   1570   1575   1580   1585   1590   1595   1600   1605

RAFAEL

Con sus hermosos cuadros de la Virgen, el pintor y arquitecto italiano Rafael creó la que sería la imagen de María durante mucho tiempo. Sus frescos para el papa Julio II le hicieron famoso de la noche a la mañana. Durante casi 400 años, su pintura se consideró cumbre inalcanzable del arte y encontró innumerables imitadores. Junto con Leonardo da Vinci, Miguel Ángel y Tiziano, Rafael fue el artista más importante del Renacimiento pleno italiano.

El padre de Rafael era un pintor mediocre. Cuando ya no supo enseñar nada más a su hijo, le envió a Perugia para que se formara en el taller de su famoso colega Pietro Perugino. En poco tiempo, nadie era capaz de distinguir las obras del discípulo de las del maestro. Rafael poseía un gran talento para hacer suya la habilidad artística de otros pintores. Asumió la técnica de composición de Leonardo de disponer las figuras en el cuadro en forma de triángulo. Del pintor veneciano aprendió el uso de los colores suaves. Y, cuando estuvo en Roma, un amigo tuvo que abrirle en secreto la puerta de la Capilla Sixtina tras la que Miguel Ángel pintaba sus frescos. Aun antes de que la capilla fuera inaugurada oficialmente, Rafael pudo sorprender con figuras pintadas a la manera de Miguel Ángel.

Rafael, príncipe de los pintores

Rafael superó a la mayoría de sus modelos en variedad, perfección y delicadeza. Su fama se extendió pronto por toda Italia. Cuando el pintor apenas tenía 25 años de edad, el papa Julio II, empeñado en hacer resurgir el esplendor de la Antigüedad romana, requirió al pintor en la ciudad eterna. Le encargó decorar con frescos parte de los aposentos de su nueva residencia en el Palacio Pontificio, las llamadas *Estancias de Rafael*. Rafael solamente había pintado hasta entonces un mural en solitario. Julio II se entusiasmó tanto con las propuestas del joven pintor que hizo quitar los frescos de otros famosos artistas de las paredes de las demás salas. Rafael y sus ayudantes pudieron decorar entonces por completo las Estancias con una animada muchedumbre de héroes bíblicos y mitológicos, santos y filósofos. En *La Escuela de Atenas* reunió a los filósofos más célebres de la Antigüedad. Algunos de ellos muestran los rasgos de coetáneos suyos: por ejemplo, Heráclito, el filósofo pesimista que escribe en una hoja de papel apoyado en unbloque de mármol, es un retrato de Miguel Ángel. A la derecha, Rafael se representó a sí mismo con un gorro negro.

Muchos artistas se desesperaban ante el talento de Rafael, quien pintaba sus cuadros de la Virgen y los retratos femeninos con una ternura, calidez y elegancia hasta entonces desconocidas. Giorgio Vasari, autor de célebres biografías de artistas, a quien debemos muchas verdades, aunque también algunas maledicencias sobre la vida de Rafael, dijo por eso que Rafael pintaba «no con pintura, sino con carne».

1483 Raffaello Santi nace en Urbino
(probablemente el 6 de abril).
1500 Trabaja de aprendiz del pintor
Pietro Perugino, en Perugia.
1504 Rafael viaja a Florencia, capital
del Renacimiento.
1508 El papa Julio II le requiere en Roma
y le asigna importantes encargos.
1513 Trabaja para León X, sucesor de
Julio II.
1514 León X le nombra arquitecto y
director de obras de la catedral
de San Pedro.
1520 Rafael muere el 6 de abril en Roma.

PÁGINA WEB RECOMENDADA
Las Estancias de Rafael, la Capilla Sixtina y otros museos del Vaticano pueden visitarse en línea en www.mv.vatican.va

[arriba]
Autorretrato (detalle) 1509. Óleo sobre tabla, 45 × 35 cm. Galería de los Uffizi, Florencia

[izquierda]
Triunfo de Galatea, 1512. Fresco, 295 × 225 cm. Villa Farnesina, Roma

[arriba]
Papa Julio II, 1511. Óleo sobre tabla,
108 x 80 cm. Galería de los Uffizi,
Florencia

[derecha]
La Escuela de Atenas, 1510-1511. Fresco,
Longitud de la base aprox. 770 cm.
Estancia del Sello, Vaticano

ALBERTO DURERO

1473 Nacimiento de Nicolás Copérnico

1491 Enrique VIII, rey de Inglaterra

1503-1506 *Mona Lisa*
(Leonardo da Vinci)

1509 Nacimiento de
Juan Calvino

RENACIMIENTO PLENO 1475-1600

| 1430 | 1435 | 1440 | 1445 | 1450 | 1455 | 1460 | 1465 | 1470 | 1475 | 1480 | 1485 | 1490 | 1495 | 1500 | 1505 | 1510 | 1515 |

Los embajadores, 1533. Óleo sobre tabla,
207 x 209,5 cm. National Gallery, Londres

PIETER BRUEGEL
EL VIEJO

515 Castillo de Hampton Court,
cerca de Londres

1517 Comienza la Reforma

1534 Enrique VIII funda la Iglesia anglicana

1558 Isabel I, reina de Inglaterra

1564 Nacimiento de William Shakespeare

1475-1600 RENACIMIENTO PLENO

1520 1525 1530 1535 1540 1545 1550 1555 1560 1565 1570 1575 1580 1585 1590 1595 1600 1605

HANS HOLBEIN EL JOVEN

El pintor Hans Holbein el Joven, originario de Augsburgo, retrató en Basilea a los comerciantes, nobles, religiosos, eruditos y científicos del Renacimiento. Debido a la hostilidad de la Reforma hacia las imágenes, marchó a Inglaterra, donde pintó su cuadro más importante, Los embajadores. *También como pintor de cámara de Enrique VIII fue testigo de las luchas religiosas.*

El enfoque científico del mundo y la singularidad de la persona eran temas importantes en la época de Holbein, la del humanismo. Holbein también pretendía mostrar el mundo exactamente como era y reflejaba siempre en sus retratos los rasgos característicos de los retratados.

Retrato de un monarca en busca de esposa

Hans Holbein el Joven mostraba a su patrón, el rey inglés Enrique VIII, como un hombre enérgico de fuerte complexión. El monarca envió a su pintor a cortes extranjeras con el fin de realizar cuadros de posibles candidatas a casarse con él. El rey tuvo en total siete esposas, a las que no trató precisamente con delicadeza.

Enrique VIII mantuvo en secreto la separación de su primera esposa y su posterior matrimonio, puesto que el Papa se lo había prohibido. Más tarde, el soberano, empeñado en casarse de nuevo, sencillamente fundó su propia iglesia, la Iglesia anglicana. El rey de Francia envió al obispo George de Selves a tratar de relajar la tensión entre el Papa y el rey inglés. Aprovechando la ocasión, visitó a su amigo, el embajador francés Jean de Dinteville. Nadie debía conocer la misión secreta de Selves. Sin embargo, Dinteville, aristócrata y erudito, quiso inmortalizar el encuentro con su amigo y encargó a Holbein el doble retrato *Los embajadores*, en el que aparecen Dinteville y Selves en tamaño natural y lujosamente ataviados ante una mesa llena de artefactos.

La muerte como compañera de viaje

Holbein pintó una extraña figura en primer plano del cuadro, que si se observa de frente no se reconoce bien. Solo cuando uno se acerca mucho al cuadro y mira el lienzo oblicuamente desde arriba, el borrón se transforma en un cráneo que sonríe burlón. La calavera es un recordatorio de la muerte, un *memento mori*. El concepto de la muerte estaba siempre presente en Holbein. La representaba una y otra vez para poner de manifiesto que el reloj de la vida empieza a correr inexorablemente desde que nacemos. Por este motivo, en algunos grabados del artista, un frágil esqueleto sigue igualmente a cada paso a políticos, médicos, monjas, ancianas y frailes. Holbein mostraba además con su calavera oculta su perfecto dominio de todos los trucos de la pintura. Este modo de representación desfigurada de los objetos se denomina *anamorfosis*, de la palabra griega que significa 'transformar'. Ya Leonardo da Vinci recomendaba la anamorfosis a los artistas como ejercicio para demostrar su capacidad para hacer trucos con la perspectiva. Además, la calavera es en cierto modo la firma de Holbein, puesto que, en aquella época, para hacer referencia a un cráneo se empleaba la expresión alemana *hohles Gebein*, 'hueso hueco', que guarda cierto parecido fonético con su apellido.

Hacia **1497-1498** Hans Holbein el Joven nace en Augsburgo.

1516 Tras su aprendizaje como pintor en el taller de su padre, Hans Holbein el Viejo, se traslada a Suiza, donde trabaja mucho para impresores como ilustrador y realiza varias pinturas murales.

1519 Es admitido como maestro en el Gremio de Pintores de Basilea.

1532 Durante la Reforma se traslada a Inglaterra.

1536 Enrique VIII le nombra pintor de cámara.

1538 Holbein realiza un viaje para retratar a posibles candidatas a casarse con Enrique.

1543 Hans Holbein el Joven muere en Londres a causa de la peste y es enterrado el 29 de noviembre.

[arriba]
Autorretrato (detalle), hacia 1542-1543. Pastel sobre papel, 32 x 26 cm. Galería de los Uffizi, Florencia

[izquierda]
Erasmo de Rotterdam escribiendo, 1523. Papel pegado sobre tabla, 37 x 30,5 cm. Museo de Arte de Basilea

[página derecha]
Retrato de Enrique VIII, hacia 1540.
Óleo sobre tabla, 88 x 75 cm. Galería
Nacional de Arte Antiguo, Roma

[izquierda]
El comerciante Georg Gisze, 1532.
Óleo sobre tabla de roble, 96,3 x 85,7 cm.
Gemäldegalerie, Museos Estatales de
Berlín

[abajo]
Cristo en el sepulcro, 1521-1522.
Temple sobre tabla, 30,5 x 200 cm.
Museo de Arte de Basilea

ANNO · ETATIS · SVÆ · XLIX ·

1519 Carlos V coronado emperador
de Alemania

1541 España conquista el reino maya
en Centroamérica

1520-1521 Vuelta al mundo
de Magallanes

RENACIMIENTO PLENO 1475-1600

1475   1480   1485   1490   1495   1500   1505   1510   1515   1520   1525   1530   1535   1540   1545   1550   1555   1560

[derecha]
Cazadores en la nieve, 1565. Óleo sobre
tabla, 117 x 162 cm. Museo de Historia
del Arte, Viena

[abajo]
La torre de Babel, 1563. Óleo sobre tabla,
114 x 155 cm. Museo de Historia del Arte,
Viena

1588 Derrota de la Armada Invencible española

1590 Finaliza la construcción de la cúpula
de la catedral de San Pedro

1571 Batalla de Lepanto: fin de la
supremacía naval de los turcos

1601 *Hamlet* (Shakespeare)

2 Guerras de los hugonotes en Francia

1602 Los holandeses fundan Ciudad del Cabo en Sudáfrica

1475-1600 RENACIMIENTO PLENO

1565   1570   1575   1580   1585   1590   1595   1600   1605   1610   1615   1620   1625   1630   1635   1640   1645   1650

PIETER BRUEGEL EL VIEJO

El pintor holandés Pieter Bruegel pintó cuadros en los que, a vista de pájaro, se observa la vida cotidiana de humildes campesinos o historias bíblicas. Sus entretenidas descripciones de la vida de los campesinos le valieron el apodo de Bruegel, el Campesino. En total, Bruegel dejó un legado de tan solo cuarenta pinturas.

A Bruegel le gustaba participar en las bodas campesinas. Se vestía como un labrador, se sentaba entre los invitados, coqueteaba con las mujeres, reía y bebía con los hombres. Carel van Mander, biógrafo del pintor, contaba: «A Bruegel le encanta observar la manera que tienen los campesinos de comer, beber, bailar, saltar, cortejar y otras cosas divertidas».

La minuciosidad con la que Bruegel observaba la vida cotidiana de las aldeas se puede percibir en sus pinturas llenas de color y de detalles. Pintó la poda de varas en un tormentoso día de primavera, la sudorosa recogida del heno en verano, la otoñal bajada del ganado vacuno desde los prados a los establos o la vuelta al hogar de los cazadores en medio de intensas nevadas. Por otra parte, representó también pausas para almorzar en el campo, fiestas de carnaval o partidos de hockey sobre el lago helado. Los burgueses adinerados, los consejeros reales y los ministros apreciaban sus cuadros sobre la vida campesina.

Paisajes imaginarios

No se sabe si Bruegel procedía de una familia campesina, pero sí está demostrado que trabó amistad con muchos intelectuales de su época y pintó cuadros religiosos, hechos que denotan su formación y que parecerían bastante extraños en el vástago de unos humildes campesinos.

En su viaje por Francia e Italia, Bruegel observó las colinas y montañas que más tarde recogería en sus pinturas con los prados y pastos de las llanuras de su patria, creando sus propios paisajes imaginarios rebosantes de personas. Por eso, Carel van Mander sostiene que parecía que Bruegel, en sus viajes, se hubiese «tragado todas las montañas y rocas y las hubiese regurgitado en forma de cuadro, hasta tal punto era capaz de aproximarse a la naturaleza».

Pintor de la vida campesina

En los cuadros de Bruegel, la naturaleza ofrece a los hombres abundante alimento (cereales, frutos, vacas, ciervos y zorros) pero también encierra muchos peligros. Esto se plasma en uno de sus cuadros, en el que unos marineros naufragan en medio de un mar embravecido. En general, Bruegel no solo reflejó la actividad y el gozo de los campesinos, sino también los contratiempos e infortunios de la vida cotidiana. En el cuadro *Cazadores en la nieve*, aparece una casa en llamas y unos patinadores que caen al suelo.

Hacia el final de su vida, Bruegel dejó de hacer desaparecer a sus figuras en la inmensidad del paisaje y las situó más en el primer plano de sus cuadros. Así aparecen comiendo, bebiendo, bailando, riendo y festejando como al mismo Bruegel le gustaba hacer con ellas. Fuera campesino o no, ningún otro pintor nos ha facilitado una imagen tan gráfica y precisa de la vida en el campo en aquella época.

Hacia **1526-1530** Pieter Bruegel el Viejo nace en Brabante.
1551 Pertenece al Gremio de Pintores de San Lucas de Amberes.
1552-1554 Viaja a Francia e Italia.
1563 Bruegel se casa con Mayken Coecke, la hija de su maestro.
1563 El matrimonio se muda a Bruselas.
1564 Nace su hijo Pieter.
1565 Bruegel pinta sus cuadros sobre las estaciones.
1568 Nace su hijo Jan.
1569 Pieter Bruegel el Viejo muere el 9 de septiembre en Bruselas.

Familia Bruegel

Pieter Bruegel el Viejo fue el descendiente más destacado de una familia de pintores sumamente productiva. Sus hijos, Pieter Bruegel el Joven y Jan, emulaban a Bruegel, el Campesino, con pinturas de la vida en el campo. Para diferenciar a los Bruegel, les dieron apodos según las preferencias de cada uno. Jan fue llamado Bruegel, el Aterciopelado o el de las Flores, debido a su pasión por los bodegones con exuberantes ramos de flores. Pieter el Joven amaba los cuadros sombríos, llenos de demonios y figuras fantasmales a la manera de El Bosco, por lo que le llamaban también el Infernal. Sin embargo, los otros dos Bruegel no fueron pintores tan grandes como su padre.

[arriba]
Autorretrato (detalle), hacia 1565.
Dibujo, 25 x 21,6 cm. Albertina, Viena

[página doble siguiente]
Boda campesina (fragmento), hacia 1568.
Óleo sobre tabla, 114 x 163 cm.
Museo de Historia del Arte, Viena

1541 Finalización de los frescos de la
Capilla Sixtina (Miguel Ángel)

1567 Nacimiento de Claudio Monteverdi

1571 Batalla de Lepanto:
fin de la supremacía
naval de los turcos

1500　1505　1510　1515　1520　1525　1530　1535　1540　1545　1550　1555　1560　1565　1570　1575　1580　1585

DIEGO VELÁZQUEZ

1590 Finaliza la construcción de la cúpula de la catedral de San Pedro
1609 Expulsión de los musulmanes de España
1630 Comienza la construcción del Taj Mahal, India
1618 Comienza la Guerra de los Treinta Años
1601 Hamlet (Shakespeare)
1620 El Mayflower arriba a Estados Unidos

475-1600 RENACIMIENTO PLENO   BARROCO 1600-1700

1590 1595 1600 1605 1610 1615 1620 1625 1630 1635 1640 1645 1650 1655 1660 1665 1670 1675

CARAVAGGIO

Con su pintura de claroscuros, el pintor italiano Michelangelo Merisi, quien se hacía llamar Caravaggio en su pueblo natal, ideó una manera muy particular de representar escenas bíblicas de forma expresiva y dramática. En sus bodegones realistas aparecen hasta los agujeros de gusano en las manzanas y los cambios de color de las hojas y, en sus cuadros de santos, hasta las suelas sucias de quienes rezan.

Mientras la mayoría de los artistas de su tiempo discutían sobre cómo podrían representar con especial elegancia a los santos, Caravaggio también quería reproducir lo ordinario y feo en sus cuadros. En ellos encontramos bellos tañedores de laúd, mujeres hermosas y ángeles desnudos junto a adivinas ladronas, tahúres o una dolorosa mordedura de lagarto. El artista, en ocasiones, buscaba modelos para sus santos entre la gente humilde de la calle, y vestía a algunos personajes de una historia bíblica con vestimentas acordes con la moda de su tiempo. Caravaggio prestaba gran atención, además, a la representación de las gotas de rocío sobre los frutos, tanto como a los detalles de un cuadro de carácter histórico. En una ocasión dijo: «Cuando pinto un cuadro de flores me esfuerzo tanto como al representar la figura humana».

Un pintor pendenciero

Caravaggio se nos presenta a primera vista como una persona agradable, pero, en realidad, era más bien una persona problemática e irascible, amante del juego y del vino. Armado con su espada, vagaba de una taberna a otra para beber y jugar. Desenvainaba la espada a la primera de cambio o utilizaba los puños, y tuvo que hacer frente a continuas demandas de compañeros de borrachera apaleados. Casi todo lo que sabemos sobre la vida de Caravaggio procede de autos de procesamiento y actas de acusación, puesto que Caravaggio comparecía en el juzgado casi tan a menudo como en su estudio. Fue detenido varias veces y en una ocasión se escapó de la cárcel. En uno de sus ataques de ira, Caravaggio dio muerte a un hombre y huyó primero a Nápoles y más tarde a Malta y Sicilia para evitar el castigo. No se sabe si falleció de muerte natural.

Asesinato y homicidio, infierno y oscuridad

En los cuadros de Caravaggio también aparecen bastantes asesinatos y homicidios; le gustaba pintar escenas bíblicas llenas de tensión. Para potenciar el efecto dramático en sus obras, el pintor situaba a los actores iluminados sobre un fondo casi negro. Mientras que los detalles importantes parecen estar iluminados por un proyector teatral, lo irrelevante se sumerge en la oscuridad.

Esta técnica de claroscuro adquirió pronto tanta fama que numerosos artistas copiaron las obras de Caravaggio. Otros, como el holandés Rembrandt, recogieron la iniciativa y desarrollaron su propio estilo. De esta manera, el pendenciero Caravaggio cambió totalmente el rumbo del arte con su maravillosa pintura.

1571 Caravaggio, bautizado con el nombre de Michelangelo Merisi, nace el 28 de septiembre en Caravaggio, cerca de Milán.
1592 Se traslada a Roma.
1595 El cardenal Francesco Maria del Monte le encarga trabajos.
1600 Se hace famoso con dos pinturas para la capilla del cardenal Matteo Contarelli.
1603 Caravaggio es encarcelado por injurias a un colega.
1606 Tras cometer un homicidio, huye a Nápoles, en 1607 a Malta y en 1608 a Sicilia.
1607 Caravaggio es nombrado caballero de la Orden de Malta, de la que luego será expulsado.
1608 Escapa de prisión.
1610 Caravaggio muere el 18 de julio en Porto d'Ercole.

LECTURA RECOMENDADA
Langdon, Helen. *Caravaggio*. Barcelona: Edhasa, 2002.

El caravaggismo

Caravaggio, con su técnica dramática del claroscuro, se convirtió en modelo de entusiastas pintores en toda Europa. Su estilo, denominado *caravaggismo*, fue imitado durante el barroco sobre todo en Italia, los Países Bajos, Francia, España y Alemania. Entre los principales caravaggistas, que solían colocar sus figuras intensamente iluminadas sobre fondos muy oscuros, cabe mencionar a los italianos Orazio Gentileschi y Giovanni Battista Caracciolo, los españoles Francisco Ribalta y José de Ribera, los flamencos Hendrick Terbrugghen, Gerrit van Honthorst y otros pintores de Utrecht, así como el francés Georges de La Tour.

[arriba]
Ottavio Leoni, *Retrato de Caravaggio* (detalle), hacia 1621-1625. Dibujo. Biblioteca Marucelliana, Florencia

[página izquierda]
Baco, hacia 1597. Óleo sobre lienzo, 95 x 85 cm. Galería de los Uffizi, Florencia

1562 Guerra de los Hugonotes en Francia

1564 Nacimiento de William Shakespeare

1558 Isabel I, reina de Inglaterra

1588 Destrucción de la Armada
Invencible española

1475-1600 RENACIMIENTO MEDIO   BARROCO 1600-170

| 1520 | 1525 | 1530 | 1535 | 1540 | 1545 | 1550 | 1555 | 1560 | 1565 | 1570 | 1575 | 1580 | 1585 | 1590 | 1595 | 1600 | 1605 |

*Autorretrato con su esposa
Isabella Brant*, hacia 1609.
Óleo sobre lienzo, 179 x 136 cm.
Alte Pinakothek, Munich

1618-1648 Guerra de los Treinta Años

1620 El *Mayflower* arriba a Estados Unidos

1630 Se inicia la construcción del Taj Mahal, India

1643 Luis XIV, rey de Francia (el Rey Sol)

1643 Nacimiento de Isaac Newton

1648 Los Países Bajos se independizan de España

| 1610 | 1615 | 1620 | 1625 | 1630 | 1635 | 1640 | 1645 | 1650 | 1655 | 1660 | 1665 | 1670 | 1675 | 1680 | 1685 | 1690 | 1695 |

PETER PAUL RUBENS

Este pintor flamenco del barroco convirtió los rígidos cánones clásicos del Renacimiento en mujeres gruesas y figuras llenas de vida. Por analogía con los cuadros de Peter Paul Rubens, incluso hoy en día, para referirse a mujeres entradas en carnes, se dice que tienen «figura de Rubens». Este artista políglota fue además un diplomático muy apreciado y lo armaron caballero.

Un aguacero frustró la misión diplomática a la que el duque de Mantua había enviado a Peter Paul Rubens, su pintor preferido, en el año 1603. Dos de los valiosos cuadros que formaban parte de los obsequios destinados al rey español quedaron dañados por el agua. Pero Rubens no titubeó ni un instante, sacó sus pinceles y a toda prisa pintó otros cuadros para sustituirlos. Felipe III quedó entusiasmado y las pinturas pasaron a formar parte de la colección real. En aquella época, Rubens ya era muy apreciado como pintor en muchas de las casas reales de Europa. El rey holandés, el archiduque Alberto, había preguntado incluso en varias ocasiones al duque de Mantua si no tenía intención de prescindir de los servicios de ese extraordinario y joven pintor. Pero el duque no accedió, entusiasmado él mismo con las obras de Rubens. Alberto vio llegada su oportunidad en 1609, cuando el pintor se encontraba en los Países Bajos. Se apresuró a nombrar al joven artista pintor de cámara y de esa manera –en palabras del propio Rubens– le puso «cadenas de oro».

Formas barrocas

Como muchos otros pintores del Renacimiento, el artista había admirado en sus largos viajes por Italia las obras de los clásicos. Aun así, sus figuras se diferenciaban notablemente de las de sus colegas. Rubens procuraba que las suyas no fueran tan rígidas y tan inmóviles como las estatuas de mármol clásicas. Con sus pinceladas les daba vida y transformaba sus severas formas en movimientos dinámicos. Rubens tuvo especial éxito con sus desnudos femeninos, cuyos cuerpos opulentos son su marca distintiva, que ha perdurado hasta la actualidad. No solo porque esas damas entradas en carnes fueran el ideal de belleza de la época: a Rubens esas formas le seducían como hombre que era y le suponían un reto artístico. En muchas de sus pinturas religiosas y mitológicas, estas figuras se agolpan en coloridos grupos sobre el lienzo, confiriéndoles más movimiento y luminosidad que en todos las obras anteriores.

Esta es la razón de que hoy en día muchos consideren a Rubens el pintor más importante del barroco.

El taller de Rubens

La producción del pintor flamenco fue tan vasta que de muchas de sus pinturas no se sabe a ciencia cierta si fueron pintadas por él mismo o por uno de sus numerosos ayudantes y colegas que trabajaban en su taller. El maestro en persona solo realizaba de propia mano una obra si se trataba de encargos realmente importantes. Esta división del trabajo repercutía naturalmente también en el precio, tal como consta en una carta de Rubens en la que hace referencia a una de sus obras: «Original de mi mano, a excepción de un bello paisaje realizado por un maestro versado

Barroco

Los pintores de finales del siglo XVI estaban cansados de los colores vivos, las formas asimétricas y la frialdad del manierismo. Añoraban las formas claras y sencillas, pero al mismo tiempo sentían predilección por los efectos teatrales y los movimientos dinámicos. Los italianos Annibale Carracci y Caravaggio fueron los precursores de esta nueva corriente artística. Un gran admirador de ambos fue el flamenco Peter Paul Rubens, que después de sus viajes por Italia se convirtió en el pintor barroco más famoso al norte de los Alpes, hasta que el holandés Rembrandt le disputó esa posición. La pintura inglesa del barroco estuvo completamente sometida al influjo de Rubens y de su discípulo Anthonis van Dyck, que se había hecho un nombre al otro lado del Canal de la Mancha como retratista. El nombre *barroco* proviene probablemente de la palabra portuguesa *barucca*, que significa 'perla de forma irregular'. Este estilo artístico se observa hasta finales del siglo XVIII, aunque el último periodo, con su especial carácter juguetón y detallista, se denomina *rococó*.

1577 Peter Paul Rubens nace el 28 de junio en Siegen.

1589 La familia se traslada a Amberes.

1600 Primer viaje a Italia.

1603 Misión diplomática ante Felipe III de España.

1609 Rubens es nombrado pintor de la corte del Archiduque Alberto. Matrimonio con Isabella Brant.

1622-1625 Pinta el ciclo de los Médici.

1626 Su esposa Isabella Brant muere de peste.

1629 Carlos I de Inglaterra le nombra caballero.

1630 Matrimonio con Helene Fourment.

1640 Rubens fallece el 30 de mayo en Amberes.

PÁGINAS WEB Y MUSEOS RECOMENDADOS
La antigua casa del artista, la Rubenshuis de Amberes, ha sido reconstruida y en la actualidad es un museo: www.museum.antwerpen.be/rubenshuis. También poseen grandes colecciones de Rubens, entre otros, la Alte Pinakothek de Munich y el Museo de Historia del Arte de Viena.

[arriba]
Paulus Pontius según Anthonis van Dyck, *Retrato de Peter Paul Rubens* (detalle), grabado al cobre, 23,3 x 15,7 cm. Colección del Príncipe de Luxemburgo de Liechtenstein, Vaduz

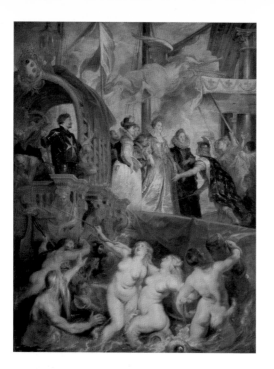

[izquierda]
El desembarco de María de Médici en el puerto de Marsella, del ciclo de los Médici, 1622-1625. Óleo sobre lienzo, 394 x 295 cm. Museo del Louvre, París

[abajo]
Caza de hipopótamos y cocodrilo, hacia 1615-1616. Óleo sobre lienzo, 248 x 321 cm. Alte Pinakothek, Munich

[página derecha arriba]
Helene con dos de sus hijos (Clara Johanna y Frans), hacia 1636. Óleo sobre tabla, 113 x 82 cm. Museo del Louvre, París

[página derecha abajo]
La fiesta de Venus, 1632. Óleo sobre lienzo, 217 x 350 cm. Museo de Historia del Arte, Viena

en el género». En muchas ocasiones, el «maestro versado» era uno de los numerosos artistas que más tarde llegarían a ser conocidos en todo el mundo, como Anthonis van Dyck o Jan Bruegel, que estudiaron y trabajaron en el taller de Rubens.

Carrera diplomática

A Rubens le afectó sobremanera la muerte de su esposa Isabella Brant en el año 1626. Pero el artista no se recluyó, más bien al contrario: siempre se había interesado por la diplomacia y dado que además del flamenco, su lengua materna, también hablaba con soltura francés, alemán, español y latín, aparte de dedicarse a su trabajo como pintor se aventuró con éxito en el mundo de la política. Carlos I de Inglaterra quedó tan encantado con este mensajero pintor que en 1629 le armó caballero. Poco después, Rubens, quien por entonces contaba 53 años de edad pero tenía muy buen aspecto, se casó con Helene Fourment, de 16 años de edad. «He decidido casarme –justificó su inusitada boda–, porque todavía no me siento preparado para una vida de soltero.»

1588 Destrucción de la Armada Invencible española

1590 Finalizada la cúpula de San Pedro

1620 El *Mayflower* arriba a Estados Unidc

1585 Guerra entre Inglaterra y España

1609 Expulsión de los moriscos de España

1633 Galileo ante la Inquisición

1475-1600 RENACIMIENTO MEDIO   BARROCO 1600-1700

1550   1555   1560   1565   1570   1575   1580   1585   1590   1595   1600   1605   1610   1615   1620   1625   1630   1635

Las Meninas, hacia 1656.
Óleo sobre lienzo,
318 x 278 cm. Museo
del Prado, Madrid

1642 *La ronda de noche* (Rembrandt)

1643 Luis XIV, rey de Francia
(el Rey Sol)

1680 Nacimiento de Antonio Vivaldi

1668 Se inicia la construcción del
Palacio de Versalles en París

1600-1700 BARROCO   ROCOCÓ 1700-1750

1640   1645   1650   1655   1660   1665   1670   1675   1680   1685   1690   1695   1700   1705   1710   1715   1720   1725

DIEGO VELÁZQUEZ

Al principio de su carrera, el pintor español Diego Rodríguez de Silva y Velázquez pintaba naturalezas muertas, los llamados bodegones, *cuadros religiosos y escenas de la vida popular. Pero la fama la adquirió gracias a los retratos que realizó del rey Felipe IV, su familia y su corte.*

Velázquez era extremadamente ambicioso. De origen humilde, se esforzó por llegar a ser uno de los pintores más famosos de España. A los 23 años de edad viajó a Madrid para convertirse en pintor de cámara del rey Felipe IV. Su deseo se cumplió muy pronto y Velázquez fue nombrado «pintor de Su Majestad» con una renta fija.

El pintor del rey

El joven rey tenía contratados a cuatro pintores de cámara en aquella época, pero muy pronto Velázquez se convirtió en el preferido. Fue administrador, contador, chambelán, «ayudante de cámara del rey» (¡un gran honor!) y mayordomo mayor de Su Majestad. También actuó como juez en concursos de pintura reales para decidir qué retratos de la realeza debían ser destruidos por su indecencia y vulgaridad. Cuando Velázquez partió a Italia para estudiar el arte de los venecianos, el rey dispuso que siguiera recibiendo sus emolumentos como pintor de cámara: un privilegio inusitado.

Felipe IV había hecho colocar un sillón en el taller del pintor para poder observar en todo momento a Velázquez mientras trabajaba. En el cuadro de *Las Meninas*, los ilustres cortesanos que rodean a la infanta Margarita observan al maestro en el taller mientras pinta. En el espejo se puede ver que el matrimonio real también está presente. Pero en este cuadro, Velázquez se representó sobre todo a sí mismo mientras pintaba, con tanta prestancia que parece que él también formara parte de la familia real. Su vestimenta es peculiar: poco antes de su muerte, el rey le había nombrado Caballero de la Orden de Santiago.

Retrato de una corte

Velázquez pintó muchos retratos del rey en los que se aprecia lo infeliz que era el monarca en su cargo. Además de Felipe IV, muchos de los miembros de la corte posaron para él, entre ellos las reinas Isabel y Mariana, maquilladas de manera amuñecada con sus opulentos peinados y sus rígidos vestidos con lujosos bordados. Por otra parte, también pintó a los perros falderos y de caza del rey y a sus hijos: las infantas Margarita y María Teresa y el príncipe Felipe Próspero. Están vestidos como adultos: en España la etiqueta de palacio era más severa que en ninguna otra parte. Velázquez también pintó a los enanos y los bufones de la Corte. A ellos los dibujó con pinceladas más toscas, casi difusas, como se aprecia en el cuadro de *Las Meninas*. De esa manera, los diferenciaba con toda claridad de la familia real. A principios de su carrera en palacio, Velázquez destacó por sus representaciones plásticas de temas religiosos con la técnica del claroscuro de Caravaggio. Posteriormente, sedujo con la riqueza de su colorido y su pintura delicada, en la que hacía valer tanto la desigual granulosidad de los pigmentos, como las pinceladas suaves o toscas, con el fin de remarcar las diferencias de rango. Velázquez no solo fue extremadamente ambicioso, sino también uno de los mejores pintores del mundo.

1599 Bautismo de Velázquez el 6 de junio en Sevilla.

1618 Matrimonio con la hija de su maestro Francisco Pacheco del Río.

1623 Nombrado pintor de cámara del joven rey Felipe IV en Madrid.

1629 Viaje a Italia por recomendación de Peter Paul Rubens.

1631 Regreso a Madrid.

1649 Por encargo real compra pinturas de Veronés y Tiziano.

1660 Velázquez muere el 7 de agosto en Madrid.

LECTURAS RECOMENDADAS

Calvo Seraller, Francisco. *Velázquez: guía de sala*. Madrid: Fundación Amigos del Museo del Prado, 2007.
Ortiz, Lourdes. *Las manos de Velázquez*. Barcelona: Editorial Planeta, 2006.

[arriba]
Autorretrato, detalle de *Las Meninas*, hacia 1656. Museo del Prado, Madrid

[izquierda]
Príncipe Felipe Próspero, 1659.
Óleo sobre lienzo, 128,5 x 99,5 cm.
Museo de Historia del Arte, Viena

1618-1648 Guerra de los Treinta Años

1601 *Hamlet* (Shakespeare)

1596 Nacimiento de René Descartes

1630 Se inicia la
construcción
del Taj Maha
India

1475-1600 RENACIMIENTO MEDIO   BARROCO 1600-1700

1550	1555	1560	1565	1570	1575	1580	1585	1590	1595	1600	1605	1610	1615	1620	1625	1630	1635	

*La compañía del capitán Frans Banningh
Cocq (Ronda de Noche)*, 1642. Óleo sobre
lienzo, 359 x 438 cm. Museo Nacional de
Ámsterdam

1643 Luis XIV, rey de Francia
(el Rey Sol)

1668 Comienza la construcción del
Palacio de Versalles en París

1699 Austria, primera potencia de Europa

1685 Nacimiento de Johann Sebastian Bach

1655 Inglaterra inicia el comercio con las Indias Orientales

1600-1700 BARROCO   ROCOCÓ 1700-1750

1640   1645   1650   1655   1660   1665   1670   1675   1680   1685   1690   1695   1700   1705   1710   1715   1720   1725

REMBRANDT

El pintor holandés Rembrandt se hizo famoso con cuadros en los que las figuras semejaban actores que aparecían dramáticamente en el escenario saliendo a la luz de los focos desde la oscuridad. Y fue un auténtico hombre de negocios. Hoy en día sabemos que muchos «Rembrandts auténticos» fueron pintados por los aprendices de su taller.

Afortunadamente, el acomodado molinero Harmen Gerritszoon de Leiden había puesto a uno de sus diez hijos el nombre de Rembrandt. Así, Rembrandt Harmenszoon van Rijn pudo firmar sus pinturas simplemente con su nombre de pila, como hacían los venerados pintores del Renacimiento. Este nombre era tan inusual y particular como el arte de Rembrandt. Sus padres en realidad tenían grandes planes para él: enviaron a su hijo a una severa escuela de latín y más tarde a la afamada Universidad de Leiden. Rembrandt descubrió allí los relatos, a menudo sanguinarios, de la Biblia, que posteriormente representó en sus pinturas, dibujos y grabados.

Su padre no estuvo de acuerdo con el deseo de su hijo de ser pintor. Pero Rembrandt se mantuvo firme y obtuvo permiso para estudiar con Pieter Lastman, un pintor de temas históricos de Ámsterdam. Cuando tuvo taller propio, se hizo muy pronto tan famoso que se vio obligado a dar trabajo a numerosos ayudantes y aprendices. Rembrandt fue uno de los artistas más solicitados de su tiempo. Se le atribuyen unas 600 pinturas, 300 gráficos y 1.400 dibujos. Es fácil imaginar que ese volumen de producción y distribución de arte no podía salir de un pequeño taller de pintura; de hecho, Rembrandt dirigía un negocio profesionalizado.

Luces y sombras

Rembrandt se guió por los maestros pintores italianos y holandeses y consiguió conferir a la técnica del claroscuro de Caravaggio una nueva dimensión. Sus cuadros tenían un nuevo dramatismo. Muchas de las escenas que antes se representaban en la naturaleza, ahora sucedían en espacios interiores. También eligió historias que hasta ese momento habían sido representadas muy pocas veces. Sobre todo le interesaba mostrar los sentimientos de sus figuras. Esto también se puede apreciar en los autorretratos en los que una y otra vez se presenta de una manera diferente, a menudo incluso disfrazado. En 1634, Rembrandt se casó con su gran amor, Saskia van Uylenburgh. Retrató a su mujer con diferentes ropajes y en diferentes papeles. Cuando Saskia murió al nacer Titus, su tercer hijo, Rembrandt perdió las ganas de pintar. Sus claroscuros estaban algo pasados de moda y el negocio empezó a ir de mal en peor.

La ruina económica

Rembrandt, en su vejez, no supo ya administrar el dinero y finalmente se vio obligado a declararse en quiebra. Sus propiedades fueron vendidas para pagar las deudas: más de 120 pinturas, entre otras de Rafael y Rubens, que estaban colgadas entonces muy juntas en las paredes de su casa. Pero también poseía conchas exóticas, aves del Paraíso disecadas, ilustraciones de la Biblia y bustos de conocidos filósofos, que con la venta de sus bienes cambiaron de dueño. Cuando murió, Rembrandt había conseguido reunir una nueva colección de pinturas, plantas y animales, porque el artista no quería prescindir ni de su estimado arte ni de las maravillas de la naturaleza.

1606 Rembrandt nace el 15 de julio en Leiden.
1621 Comienza sus estudios con el pintor Jacob van Swanenburgh.
1625 Se independiza como pintor.
1630 Rembrandt posee un taller con varios aprendices.
1634 Se casa con Saskia van Uylenburgh.
1642 Entra en crisis a causa de la muerte de Saskia.
1649 La niñera Geertghe Dircx le acusa de romper su promesa de matrimonio.
1656 Rembrandt se declara en quiebra.
1669 El pintor fallece el 4 de octubre en Ámsterdam.

MUSEO RECOMENDADO
La Rembrandthuis de Ámsterdam es lugar de visita obligada para todos los seguidores de Rembrandt. También es muy aconsejable una visita virtual: www.rembrandthuis.nl

[arriba]
Autorretrato (detalle), 1658.
133,7 x 103,8 cm. Colección Frick, Nueva York

[derecha]
Los tres árboles, 1643.
Aguafuerte, 21,1 x 28 cm

[abajo]
La estampa de los cien florines o Cristo curando a los enfermos, 1642-1649.
Aguafuerte, 27,8 x 38,8 cm

[página derecha]
Autorretrato con Saskia, hacia 1635.
Óleo sobre lienzo, 161 x 131 cm.
Galería de los Antiguos Maestros, Dresde

1643 Luis XIV, rey de Francia
(el Rey Sol)

1618-1648 Guerra de los
Treinta Años

1633 Galileo ante
la Inquisición

1648 Los Países Bajos
se independizar
de España

1475-1600 RENACIMIENTO MEDIO   BARROCO 1600-1700

1570   1575   1580   1585   1590   1595   1600   1605   1610   1615   1620   1625   1630   1635   1640   1645   1650   1655

JEAN-ANTOINE WATTEAU

1685 Nacimiento de Johann Sebastian Bach

55 Inglaterra inicia el comercio con las Indias Orientales

1689 Pedro el Grande, zar de Rusia

1672 Comienza la construcción de la catedral de San Pablo en Londres

1668 Se inicia la construcción del Palacio de Versalles en París

1600-1700 BARROCO   ROCOCÓ 1700-1750

1660   1665   1670   1675   1680   1685   1690   1695   1700   1705   1710   1715   1720   1725   1730   1735   1740   1745

JAN VERMEER

Telas luminosas, brillantes reflejos de luz sobre garrafas de porcelana o collares de perlas y escenas de interior muy tranquilas y decoradas con gran ponderación son la marca distintiva del pintor holandés Jan Vermeer. Solo pintó 36 obras, que están repartidas por todo el mundo, y en casi todas nos muestra escenas de la vida cotidiana.

En casa de los Vermeer solía haber mucho jaleo. Sus 15 hijos alborotaban por todas partes y a menudo hubo choques con su suegra, una mujer severa que vivía con ellos en la amplia casa. En su segundo oficio, Vermeer seguramente tampoco consiguió la tranquilidad deseada: como dueño de una taberna, lo más probable es que estuviera detrás de la barra hasta bien entrada la noche sirviendo a los clientes vino y música. La pintura y la bebida hacían buena pareja por aquel entonces en los Países Bajos. En muchas de las pinturas de esa época, campesinos y soldados borrachos arman bulla y se pelean en las tabernas, tiran del delantal a las camareras o se quedan dormidos roncando en un rincón. En uno de sus cuadros, Vermeer incluso se representó a sí mismo con un vaso y brindando con una sonrisa de cara al espectador.

La quietud en una casa burguesa

En contraposición con las bulliciosas pinturas de sus colegas pintores, las obras de Vermeer son esmerados cuadros de género, tranquilos y silenciosos. Aparecen mujeres concentradas en sus manualidades, ataviadas con ropa elegante y tocando música o vertiendo leche con cautela en una fuente, mientras la tenue luz del sol entra por las ventanas confiriendo luminosidad a los objetos y suavidad a la escena. Incluso aunque intervenga el alcohol, todo sucede sin perder las formas. En Vermeer, los galanes inducen a mujeres recatadas a degustar el vino con moderación. ¿Deseaba tal vez el pintor de vez en cuando que la tranquilidad de sus cuadros reinara en su casa y en su animada taberna?

La ventura de un hogar feliz

A pesar del bullicio, a Vermeer le gustaba estar en casa. Allí tenía su taller y todo tipo de objetos: cántaros de porcelana blanca de Delft para el vino o sillas tapizadas con cuero de su propia cocina son algunos de los que aparecen en sus pinturas. Para alguna obra el artista incluso trasladó la pesada mesa de roble de su suegra a su taller en el piso de arriba. A veces colgaba también sus obras de arte en la pared del estudio para que aparecieran como cuadros dentro del cuadro. En *El arte de la pintura*, por ejemplo, en la pared de su taller se ve un gran mapa que muestra los Países Bajos antes de su división después de la Guerra de los Treinta Años. En el cuadro vemos al pintor de espaldas mientras plasma en el lienzo la corona de laurel que luce su modelo.

De tanto en tanto, las mujeres de Vermeer parecen absortas, soñando con otra vida. En esas ocasiones se ponen un collar de perlas y se arreglan para recibir a su amado, que acaba de escribirles una carta. A menudo esas mujeres se sitúan junto a la ventana. ¿Preferirían estar en esas tabernas cuyo bullicio llega hasta sus oídos?

Pintura holandesa del siglo XVII

En tiempos de Vermeer, la pintura de los Países Bajos y de Flandes se destinaba a los salones privados de los burgueses, por lo que no tenía que ser tan pomposa como el arte que debía decorar palacios reales o iglesias. Muchos pintores holandeses se especializaron en diferentes temas de gran acogida entre el público. En Ámsterdam, Delft y Amberes, Adrien Brouwer, Pieter de Hooch, Jan Steen, Adrian van Ostade y David Teniers el Joven crearon cuadros de género sensuales con escenas de campesinos, peleas y tabernas. Los bodegones de Willem Kalf con valiosas jarras, recipientes de cristal y frutas tuvieron gran aceptación, mientras que otros pintores se centraron en naturalezas muertas de flores. Los paisajes costeros, urbanos o campestres de Jacob Isaacksz Ruisdael con sus molinos de viento estaban en muchas casas de burgueses acaudalados. Frans Hals, maestro del retrato jovial, está considerado, con Vermeer y Rembrandt, uno de los pintores holandeses más importantes de su tiempo.

1632 Bautismo de Jan Vermeer el 31 de octubre en Delft.

1635 Se convierte al catolicismo.

1653 Vermeer se casa con Catharina Bolnes, con quien tiene 15 hijos.

1662 El Gremio de Pintores de Delft le nombra decano.

1670 Tras la muerte de su madre hereda la taberna Mechelen.

1671 Decano del Gremio de Pintores por segunda vez.

1672 Vermeer viaja a La Haya para verificar la autenticidad de obras de arte italianas.

1675 Solicita un préstamo para su gran familia en Ámsterdam.

1675 Jan Vermeer es enterrado el 16 de diciembre en su ciudad natal, Delft.

PÁGINA WEB RECOMENDADA

En la página www.essentialvermeer.com aparece un detallado catálogo de sus obras, explicaciones sobre la técnica del artista, una panorámica sobre su ciudad Delft y muchas cosas más.

[arriba]
Autorretrato, detalle de la obra *La alcahueta*, 1656. Óleo sobre lienzo, 143 x 130 cm. Galería de los Antiguos Maestros, Dresde

[izquierda]
El arte de la pintura, hacia 1665-1666. Óleo sobre lienzo, 120 x 100 cm. Museo de Historia del Arte, Viena

[abajo]
La lechera, hacia 1658-1660.
Óleo sobre lienzo, 45,5 x 41 cm.
Museo Nacional de Ámsterdam

[derecha]
La joven de la perla, hacia 1665.
Óleo sobre lienzo, 44,5 x 39 cm.
Koninklijk Kabinet van Schilderijen
Mauritshuis, La Haya

1668 Se inicia la construcción del Palacio de Versalles en París

1667 Luis XIV inaugura
el Salon de París

1685 Nacimiento de Johann
Sebastian Bach

1600-1700 BARRC

1610   1615   1620   1625   1630   1635   1640   1645   1650   1655   1660   1665   1670   1675   1680   1685   1690   1695

Gilles, hacia 1719. Óleo sobre lienzo,
184 x 149 cm. Museo del Louvre, París

Rococó

'Grutas y rocalla' es el significado de la palabra francesa *rocaille*, de la cual deriva el nombre *rococó*. Y así son también las obras de los pintores del rococó como Antoine Watteau, François Boucher, Jean-Honoré Fragonard o Gabriel Germain Boffrantes: llenas de piezas menudas y de delicados y finos adornos. Con esa nueva forma de pintura querían distanciarse de los monumentales *pathos* que tanto amaban los artistas del barroco. Desde Francia, el estilo rococó se expandió con rapidez a otros países europeos. Tuvo especial aceptación en Alemania y Austria, donde contribuyó a que el barroco tuviera un final más vistoso. Con la caída del absolutismo durante la Revolución francesa en 1789, también llegó el fin del rococó y el clasicismo sustituyó a este estilo artístico tan amante de los detalles pequeños.

1707 Unificación de Inglaterra, Escocia
e Irlanda: nace el Reino Unido

1699 Austria, primera potencia de Europa **1712** Nacimiento de Jean-Jacques Rousseau   **1749** Nacimiento de Johann Wolfgang von Goethe

1703 Se inicia la construcción del Palacio de Buckingham en Londres

ROCOCÓ 1700-1750   1700-1750 ROCOCÓ   CLASICISMO 1750-1790

1700   1705   1710   1715   1720   1725   1730   1735   1740   1745   1750   1755   1760   1765   1770   1775   1780   1785

ANTOINE WATTEAU

El pintor francés del rococó Antoine Watteau fue un gran amante de la comedia del arte italiana. Sus figuras disfrazadas representan sus pequeños dramas casi siempre en entornos ajardinados. Pero si miramos de cerca sus joviales pinturas, observaremos que se trata de personas aisladas y solitarias.

Antoine Watteau inició su carrera como una especie de pintor en serie. En colaboración con un numeroso grupo de trabajadores a destajo, el joven de 18 años de edad trabajaba en París en una «fábrica de pinturas» produciendo copias de obras de renombrados maestros. Sin embargo, debía de hacer el trabajo a disgusto, porque puso todo su empeño en conseguir dar el salto. Y lo consiguió. El pintor y grabador al aguafuerte Claude Gillot lo aceptó como ayudante y abrumó al joven con historias de la Commedia dell'arte. A Gillot le encantaban las figuras enmascaradas de este teatro de la improvisación italiano y le gustaba pintar famosos personajes como el Arlequín o la Colombina.

Arlequines melancólicos
Watteau también se entusiasmó por los comediantes italianos, que desde entonces proliferan en sus pinturas interpretando pequeñas piezas. Un admirador importuno recibe un desaire, un amante toca una serenata para su amada o contempla afligido y amartelado a la dama de su corazón desde la distancia. Sus cuadros tienen un aire melancólico. Watteau siempre dibujaba personas solitarias entre los que festejaban alegremente y los actores. Este sentimiento de tristeza probablemente se debía a que el

pintor había padecido tuberculosis en su juventud. El amor eterno, la felicidad y la salud parecían muy alejados de Watteau, quien quizás presentía lo corta que iba a ser su vida. Se mostraba irritable e intranquilo la mayor parte de las veces y con los extraños era muy reservado. Watteau nunca estaba satisfecho con su trabajo, siempre quería dibujar algún detalle más o retocar otros. Sus pinturas debían ser perfectas. Igual que las de su ideal, el pintor barroco Peter Paul Rubens, cuyo fabuloso colorido y representaciones brillantes adoptó en gran parte.

En el punto de mira de los revolucionarios
Su delicada salud causaba cada vez mayores problemas a Watteau. Necesitó cinco años para completar *Embarque hacia la isla de Citera*, la obra con la que sería admitido en la Real Academia francesa. Según la mitología clásica, Venus, diosa del amor y la belleza, surgió del mar en la isla griega de Citera. Esta obra le permitió ser miembro de pleno derecho de la Academia en 1717. Poco tiempo después, sus compañeros le calificaron de «peintre des fêtes galantes», pintor de fiestas elegantes.

Watteau falleció el 18 de julio de 1721 cuando solo tenía 36 años de edad. Seguramente se le habría partido el corazón si hubiera visto a los estudiantes de arte durante la Revolución francesa en 1789 utilizar su *Embarque para la isla de Citera* como diana y arrojar migas de pan sobre el cuadro. El estilo rococó de las pinturas de Watteau no era del gusto de los revolucionarios, porque recordaban la afectación y la inmoralidad de la aristocracia que ellos combatían. Tan solo años más tarde sus críticos llegaron a comprender la verdadera modernidad de este pintor francés, conocido por sus representaciones llenas de sensibilidad y delicadeza.

1684 Antoine Watteau nace el 10 de octubre en la ciudad fronteriza francesa de Valenciennes.
1702 El artista se traslada a París.
1703-1708 Trabaja de ayudante del pintor y grabador Claude Gillot.
1708-1709 Ayudante del pintor decorativo Claude III Audran.
1717 Watteau presenta *Embarque para la isla de Citera* y se convierte en miembro de pleno derecho de la Real Academia francesa.
1721 El artista fallece el 18 de julio a la edad de 36 años en Nogent-sur-Marne.

[arriba]
François Boucher, aguafuerte según autorretrato de Watteau (detalle).
33 x 23 cm

[izquierda]
Embarque para la isla de Citera, 1717.
Óleo sobre lienzo, 129 x 194 cm.
Museo del Louvre, París

1685 Nacimiento de Georg
Friedrich Händel

1703 Se inicia la construcción del Palacio
de Buckingham en Londres

1600-1700 BARROCO   ROCOCÓ 1700-1750

1640   1645   1650   1655   1660   1665   1670   1675   1680   1685   1690   1695   1700   1705   1710   1715   1720   1725

[arriba izquierda]
La vendedora de quisquillas, hacia 1745.
Óleo sobre lienzo, 63,5 x 52,5 cm.
National Gallery, Londres

[abajo izquierda]
El triunfo, 1753. Grabado en cobre del
ciclo *La campaña electoral*, 35,3 x 30 cm

[abajo derecha]
La calle de la ginebra, 1751.
Grabado en cobre, 45 x 56 cm

1749 Nacimiento de Johann
Wolfgang von Goethe

1756 Nacimiento de Wolfgang Amadeus Mozart

1760 Inglaterra conquista Canadá

1769 Invención de la máquina de vapor (James Watt)

1776 Independencia de los Estados Unidos de América

1789 Estalla la Revolución francesa

1700-1750 ROCOCÓ   CLASICISMO 1750-1790

1750-1790 CLASICISMO   ROMANTICISMO 1790-1840

1730   1735   1740   1745   1750   1755   1760   1765   1770   1775   1780   1785   1790   1795   1800   1805   1810   1815

WILLIAM HOGARTH

El pintor William Hogarth era un moralista de todo corazón. Con representaciones de la miserable vida de prostitutas y bebedores quería contribuir a mejorar la sociedad inglesa del siglo XVIII. Gracias a sus mordaces sátiras sociales, llenas de humor, el artista y grabador está considerado como el fundador de la caricatura inglesa.

Tom Rakewell era un libertino que se gastó su copiosa herencia en la bebida y el juego. Finalmente se encontró arruinado y entrampado en sus deudas, con una mujer fea, con la que se había casado solo por su dinero y que le hacía la vida imposible. Tom Rakewell es un personaje de ficción, pero el artista inglés William Hogarth sostenía que todas las figuras que inmortalizaba en sus pinturas o grabados existían en la realidad. Hogarth era un moralista empedernido y en sus obras quería poner en evidencia las lacras de la sociedad. Como si de una obra de teatro se tratara, *La vida de un libertino* se puede seguir de escena en escena hasta el terrible final de Tom Rakewell. El mensaje de sus cuadros era totalmente comprensible incluso para personas iletradas.

Pintar para una sociedad mejor

Hogarth no solo denunciaba en sus cuadros la afición a la bebida y al juego del pueblo llano, sino también la corrupción de políticos, la suntuosidad de los ricos y la degeneración de sus costumbres. El compromiso de Hogarth no se limitaba a las paredes de su taller. Como director de un hospicio, consiguió convencer a numerosos artistas colegas suyos para que donaran obras al centro. Estas a su vez atraían a visitantes al hospital que, a menudo, dejaban algún donativo. Al igual que su suegro, Sir James Thornhill, que impartía clases gratuitas en una escuela de arte a personas con talento pero sin medios, Hogarth intercedía en favor de las generaciones venideras y fundó en 1735 la St. Martin's Lane Academy. Convencido de que las escuelas de arte tradicionales ahogaban los nuevos impulsos y cualquier asomo de crítica, Hogarth concedió a sus alumnos cierto derecho a intervenir, sin renunciar por ello a una estricta formación académica. A los artistas coetáneos de Hogarth también les vino muy bien la rabia con la que este atacaba a los marchantes de arte faltos de escrúpulos que copiaban sus grabados y de esa manera mermaban sus propios beneficios. El artista, junto con sus colegas, llevó a cabo una protesta ante el Parlamento y de este modo consiguieron que en 1735 se promulgara una ley que protegía los derechos de autor. Esta ley recibió el nombre del artista y hoy en día sigue vigente en Inglaterra.

Sarcasmo mordaz

Según pasaban los años, la mordacidad de sus grabados y pinturas llenas de humor fue en aumento. Saltaba a la vista que la especie humana, con sus costumbres amorales y corruptas, le había defraudado. En muchas ocasiones sus pinturas se enfrentaban a las quejas de todas las capas de la sociedad. No dejó títere con cabeza en su ciclo de cuadros *La campaña electoral*, en los que reflejó la necedad y la idiotez de todas las personas allí representadas. Gracias a ese tipo de pinturas, en la actualidad Hogarth está considerado no solo un espléndido grabador y pintor, sino también el fundador de la caricatura inglesa.

1697 William Hogarth nace el 10 de noviembre en Londres.
1712 Aprendizaje con el orfebre y grabador Ellis Gamble.
1720 El artista se independiza como grabador en cobre.
1729 Se casa con Jane Thornhill, hija del pintor de cámara y maestro de pintura Sir James Thornhill.
1735 Hogarth completa el ciclo *La vida de un libertino*. Fundación de la St. Martin's Lane Academy.
1764 Fallece en Londres el 25 de octubre.

LECTURA RECOMENDADA
Hogarth, William. *Hogarth*. Barcelona: Fundació La Caixa, 2007.

Moral pictures

Poner a las personas un espejo delante para que vieran la vida tan escabrosa y la falta de moral que llevaban era el compromiso que habían adquirido los pintores de las llamadas obras morales o *moral pictures*. Naturalmente, artistas como William Hogarth albergaban la esperanza de que los espectadores de sus pinturas entraran en razón y cambiaran de estilo de vida. Las escenas de la vida cotidiana siempre habían formado parte del arte desde la Antigüedad, pero fueron los pintores holandeses como Pieter Bruegel el Viejo, David Teniers y Jan Steen los que dieron fama a la pintura de género. Sus obras sobre la algazara en las tabernas o en los cuartos de estar se tomaban a menudo como denuncias jocosas de costumbres faltas de moral. Fueron los precursores de las *moral pictures* de William Hogarth.

[arriba]
Autorretrato (detalle), 1748-1749

1703 Se inicia la construcción del Palacio
de Buckingham en Londres

1707 Unificación de Inglaterra, Escocia e
Irlanda: nace el Reino Unido

1600-1700 BARROCO   ROCOCÓ 1700-1750   1700-1750 ROCOCÓ

1665   1670   1675   1680   1685   1690   1695   1700   1705   1710   1715   1720   1725   1730   1735   1740   1745   1750

[derecha]
*Campesino fumando pipa ante la puerta
de la cabaña*, 1788. Óleo sobre lienzo,
196 x 158 cm. Universidad de California
del Sur, Los Ángeles

[abajo]
El señor y la señora Andrews,
1748-1749. Óleo sobre lienzo, 70 x 119 cm.
National Gallery, Londres

JOHN CONSTABLE

1756 Nacimiento de W.A. Mozart
1776 Independencia de
los Estados Unidos
1789 Estalla la Revolución francesa
1760 Inglaterra conquista Canadá
1789 George Washington, primer presidente de EE.UU.
1769 Invención de la máquina de vapor (James Watt)
1770 Nacimiento de Ludwig van Beethoven

SICISMO 1750-1790   1750-1790 CLASICISMO   ROMANTICISMO 1790-1840   1790-1840 ROMANTICISMO

1755   1760   1765   1770   1775   1780   1785   1790   1795   1800   1805   1810   1815   1820   1825   1830   1835   1840

THOMAS GAINSBOROUGH

Animado por la pintura paisajística holandesa, Thomas Gainsborough adquirió renombre como pintor con personalidad propia. Este maestro del rococó inglés se ganaba el sustento pintando retratos, pero su pasión era representar la naturaleza. Hasta un simple bróculi le podía servir de modelo.

El gentilhombre y amante del arte Philip Thicknesse estaba encantado: alguien había pintado un pequeño cuadro con un hombre medio dormido, tocado con un sombrero de ala ancha, y lo había sujetado a la tapia de un jardín. La naturalidad de la figura le dejó atónito. Nunca antes había visto algo así.

Thomas Gainsborough, que por aquel entonces tenía 25 años de edad, tuvo la suerte de conocer de esta manera a un gran promotor de su arte. El negocio con los retratos no iba mal, pero al pintor inglés no le gustaba este género y solo lo practicaba para ganarse la vida. Las preferencias de Gainsborough se encaminaban hacia la pintura paisajística y las representaciones de género de la vida rural. «Hago retratos para vivir, paisajes porque los amo y música porque no puedo evitarlo», comentó una vez Gainsborough, quien constantemente ejecutaba piezas de música sobre su viola de gamba.

Inventor del retrato paisajístico

Gainsborough era un hombre muy ingenioso. Con el fin de poder dedicarse a la pintura paisajística, solía retratar a sus ricos clientes en pleno campo. De este modo, creó un nuevo tipo de pintura: el retrato paisajístico. Se convirtió en maestro de las pequeñas sombras y de ambientes tiernos y exquisitos que le identifican como pintor del rococó. Y eso que no pintaba sus complicadas obras al aire libre; a menudo oscurecía su taller incluso durante el día para pintar a la luz de las velas. Así conseguía mezclar mejor los tonos cálidos. Gainsborough se traía al taller los paisajes que necesitaba: recogía follaje, musgo y hojas, formaba pequeñas rocas con trocitos de carbón y arroyos con pedazos de vidrio; para el bosque del fondo se dice que una vez usó de modelo un bróculi.

Un pintor que se hace de rogar

Mientras sus colegas hacían largos viajes a Italia para estudiar a los pintores de renombre, Gainsborough nunca consideró necesario abandonar Gran Bretaña. Pero las invitaciones de sus acomodados clientes y amigos para visitar sus colecciones de arte las aceptaba con mucho gusto. Sus propias pinturas tenían cada vez mejor acogida y sus clientes y mecenas incluso aceptaban sus veleidades y su falta de formalidad. Gainsborough lo tenía claro: «La pintura y la puntualidad se llevan como el perro y el gato». Aun así, logró convertirse en el retratista preferido del rey y ser uno de los fundadores de la Real Academia británica. En los últimos años de su vida, Gainsborough se superó y creó obras maestras que ya dejan entrever el romanticismo y que con su liviandad están consideradas precursoras del impresionismo.

1727 Thomas Gainsborough nace en Sudbury (Suffolk).
1744 El pintor abre un taller en Londres.
1746 Se casa con la rica Margaret Burr, hija ilegítima del duque de Beaufort.
1752-1759 El artista vive en Ipswich (Suffolk). Allí conoce al mecenas Philip Thicknesse.
1761 Primera exposición en Londres.
1768 Gainsborough es miembro fundador de la Real Academia británica.
1784 Tras una controversia con la Real Academia, el artista ya solo realiza exposiciones privadas.
1788 Fallece el 2 de agosto en Londres.

PÁGINAS WEB Y MUSEOS RECOMENDADOS
La casa natal de Thomas Gainsborough en Sudbury es un museo. En su página web figuran informaciones sobre el artista y reproducciones de sus obras: www.gainsborough.org

Retrato inglés

En Inglaterra el arte no tenía que estar tan al servicio de la gloria de soberanos y jefes militares como en otros países europeos. Gentes más sencillas también tenían la oportunidad de dejarse retratar: para ocasiones especiales se encargaban cuadros a los artistas, muchos de los cuales se ganaban el sustento de esta manera. Animados por los tonos suaves con los que el holandés Anthonis van Dyck retrataba a los aristócratas del siglo XVII, los pintores Thomas Gainsborough, Joshua Reynolds y Thomas Lawrence consiguieron que el arte del retrato cosechara gran fama en Inglaterra. William Hogarth también fue elogiado por sus majestuosos retratos individuales y por la viveza de sus representaciones de grupos de personas. Pero este último, al contrario que sus estrictos colegas, prefería dar a sus pinturas un toque caricaturesco.

[arriba]
Autorretrato del artista dibujando un croquis (detalle), 1750-1755. Dibujo a lápiz. British Museum, Londres

FRANCISCO DE GOYA

THOMAS GAINSBOROUGH

CASPAR DAVID FRIEDRICH

1776 Independencia
de los Estados
Unidos de América

1756 Nacimiento de Wolfgang
Amadeus Mozart

ROCOCÓ 1700-1750   1700-1750 ROCOCÓ   CLASICISMO 1750-1790   1750-1790 CLASICISM

1700   1705   1710   1715   1720   1725   1730   1735   1740   1745   1750   1755   1760   1765   1770   1775   1780   1785

Los fusilamientos del 3 de mayo de 1808,
1814. Óleo sobre lienzo, 266 x 345 cm.
Museo del Prado, Madrid

1787 Don Carlos (Friedrich Schiller)

1789 Estalla la Revolución francesa

1804 Napoleón Bonaparte, emperador de Francia

1815 Derrota de Napoleón en Waterloo

1826 Primera fotografía

1830 Ferrocarril Liverpool-Manchester

1877 Reina Victoria I, emperatriz de la India

ROMANTICISMO 1790-1840   1790-1840 ROMANTICISMO   IMPRESIONISMO 1860-1915

1790 1795 1800 1805 1810 1815 1820 1825 1830 1835 1840 1845 1850 1855 1860 1865 1870 1875

FRANCISCO DE GOYA

El pintor y dibujante español Francisco de Goya y Lucientes fue uno de los primeros artistas que no quiso crear obras en exclusiva para la Iglesia y los soberanos, sino también para el pueblo llano. Sus grabados sobre los disparates humanos y la crueldad de la guerra se hicieron famosos en el mundo entero.

Francisco de Goya era un testarudo recalcitrante que no quiso someterse a las normas establecidas en la pintura. Ya de niño participó en concursos de la academia de pintura, pero como no cumplía las reglas casi nunca conseguía un premio. «Tema equivocado», argumentaba el jurado. Pero Goya no se arredró. El arte, según él, no se podía enseñar en las academias. El ambicioso Goya siguió su camino y muy pronto tuvo la oportunidad de pintar sus primeros frescos para la catedral de Zaragoza. Para la Real Manufactura en Madrid dibujó cuadros animados con personas jugando a la pelota, leñadores, hombres con zancos, gente paseando y toreros, sobre cartones que servían de plantilla para los valiosos tapices.

Finalmente llegó a ser el pintor del rey y, más tarde, fue nombrado pintor de cámara, lo que le permitió realizar, además de cuadros para la Iglesia, retratos de nobles y soberanos.

Arte para el pueblo y los ciudadanos

En realidad, Goya, como artista «libre», también quería trabajar para el pueblo, cuya penosa vida representó una y otra vez en sus obras. Trabajó la técnica del grabado porque los grabados tenían la ventaja de ser más baratos que los óleos. Dado que se podían hacer varias copias de un grabado y muchos burgueses adinerados de Madrid querían comprar el arte de Goya, esto resultó muy beneficioso para el negocio.

Miradas críticas

En 1792, Goya enfermó gravemente. Y aunque se recuperó, poco a poco se fue quedando sordo: fue un golpe muy duro para él. Sus pinturas se hicieron más oscuras y tristes. La amargura de Goya se observa en una serie de grabados a la que el pintor tituló *Caprichos*. En los periódicos de Madrid hacía publicidad de sus «ocurrencias» y vendía las láminas directamente junto a su casa, en una tienda de perfumes y bebidas. En aquella época las galerías aun no existían. Con sus representaciones de hombres ebrios de amor, mujeres depravadas, alcahuetas malvadas, burros orgullosos, frailes necios, charlatanes y misteriosos hombres-pájaro, Goya criticó las debilidades humanas que se producen cuando falla el sentido común.

Los grabados de Goya sobre *Los desastres de la guerra* entre España y el emperador francés Napoleón también se hicieron famosos. En ellos, mostró sin tapujos

1746 Francisco de Goya nace el 30 de marzo en Fuendetodos.
1773 Matrimonio con Josefa Bayeu.
1786 Es nombrado pintor del rey y tres años después, pintor de cámara.
1792 A causa de una enfermedad se queda sordo.
1795 Goya es nombrado director de pintura en la Academia Real de San Fernando.
1797 Pinta *La maja desnuda*.
1799 Se publican los *Caprichos*.
1810 Comienzo de los trabajos sobre la serie *Los desastres de la guerra*.
1814 Goya comparece ante un tribunal de la Inquisición.
1824 Por razones políticas se oculta durante varios meses en casa de un amigo.
1828 Francisco de Goya muere el 16 de abril en Burdeos.

LECTURA RECOMENDADA
Mena Marqués, Manuela B. *Goya: guía de sala*. Madrid: Fundación Amigos del Museo del Prado, 2004.
Baticle, Jeannine. *Goya*. Barcelona: Ediciones Folio, 2004.

[izquierda]
El sueño de la razón produce monstruos, Capricho n.° 43, 1797-1798.
Aguafuerte y aguatinta, 21,6 x 15,2 cm

[arriba]
Autorretrato en el taller (detalle), 1790-1795. Óleo sobre lienzo, 42 x 28 cm. Real Academia de Bellas Artes de San Fernando, Madrid

aquella devastación sin sentido, el dolor de las madres y los niños así como el inútil intento de la gente sencilla de defenderse ante los ataques del poderoso enemigo. Su pintura *Los fusilamientos del 3 de mayo de 1808* (página 74) la realizó durante la ocupación de España por las tropas francesas.

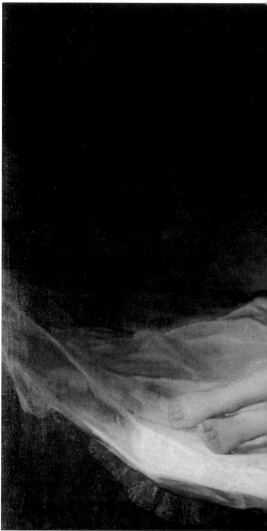

[arriba]
La familia de Carlos IV, 1800-1801.
Óleo sobre lienzo, 280 x 336 cm.
Museo del Prado, Madrid

[derecha]
La maja desnuda, hacia 1798-1805.
Óleo sobre lienzo, 97 x 190 cm.
Museo del Prado, Madrid

1776 Independencia de los E
dos Unidos de América

1770 Nacimiento de
Ludwig van Beethoven

ROCOCÓ 1700-1750   1700-1750 ROCOCÓ   CLASICISMO 1750-1790   1750-1790 CLASICISM

| 1700 | 1705 | 1710 | 1715 | 1720 | 1725 | 1730 | 1735 | 1740 | 1745 | 1750 | 1755 | 1760 | 1765 | 1770 | 1775 | 1780 | 1785 |

La muerte de Marat, 1793. Óleo sobre lienzo, 165 x 128,3 cm. Museos Reales de Bellas Artes, Bruselas

Clasicismo

Los partidarios de la Revolución francesa se consideraban los nuevos griegos y romanos, y este sentimiento, naturalmente, también se adueñó del arte de finales del siglo XVIII. Los pintores de la época, sobre todo el francés Jacques-Louis David y su discípulo Jean-Auguste Dominique Ingres, pusieron todo su empeño en superar el artificio del rococó y las pinturas sobrecargadas del barroco tardío como formas artísticas de la odiada nobleza. Adoraban las formas sencillas de los griegos y los romanos de la Antigüedad, al igual que sus líneas claras y austeras y sus tonalidades. Muchos filósofos y escritores también se fijaron en el pasado lejano, considerándolo una época dorada en la que reinaban el orden, la justicia y la moral.

1789 Estalla la Revolución francesa

1804 Napoleón Bonaparte, emperador de Francia

1808 *Fausto I* (Johann Wolfgang von Goethe)

1815 Derrota de Napoleón en Waterloo

1826 Primera fotografía

1848 *El manifiesto comunista* (Karl Marx, Friedrich Engels)

ROMANTICISMO 1790-1840   1790-1840 ROMANTICISMO   IMPRESIONISMO 1860-1915

1790 1795 1800 1805 1810 1815 1820 1825 1830 1835 1840 1845 1850 1855 1860 1865 1870 1875

JACQUES-LOUIS DAVID

El pintor francés Jacques-Louis David sentía predilección por el arte de la Antigüedad. En sus obras enalteció con estilo clásico primero a los revolucionarios y más tarde a Napoleón I. Está considerado el fundador del clasicismo francés.

Cuando Jacques-Louis David ganó el Premio de Roma de arte en el año 1774 por su obra *Antíoco y Estratónice*, seguro que lo primero que hizo fue comprar comida. Sus fracasos anteriores le habían deprimido de tal manera que estaba dispuesto a morir de hambre. Ahora podía recuperar sus fuerzas. Pero la siguiente frustración no se hizo esperar. En un viaje a Italia al año siguiente, el pintor conoció por primera vez las obras de los clásicos. Al lado de estas obras maestras, sus propias pinturas en estilo rococó le parecían imperfectas y triviales. David cayó de nuevo en una profunda depresión. La Antigüedad nunca le seduciría, se había jactado antes de su partida. Pero ahora el artista, infatigable, recorría Roma haciendo esbozos de esculturas y edificios. Los grandes maestros del Renacimiento también le entusiasmaron. Miguel Ángel y Rafael con su arte habían conseguido cautivar a David.

«Libertad, igualdad y fraternidad»

Después de su viaje, las figuras de las pinturas de David se hicieron más plásticas y los ropajes que unos años antes parecían tener movimiento, ahora de repente parecían haber sido esculpidas en piedra. David no fue el único que se contagió del entusiasmo por los clásicos. Eran los tiempos de la Revolución francesa, cuyos defensores también deseaban la vuelta de los valores morales de los antiguos griegos y de la antigua Roma. El patriotismo, los deberes de los ciudadanos y el sacrificio personal en la lucha por la libertad eran las cualidades más admiradas. David supo plasmar estos valores en sus pinturas mejor que ningún otro, como por ejemplo en *El juramento de los Horacios* o en *La muerte de Marat*. La toma de la Bastilla había sido un éxito y David era festejado como líder artístico del gobierno revolucionario. La euforia del artista había llegado tan lejos que incluso puso su arte al servicio de la propaganda política y creó imágenes idealizadas de los héroes de la Revolución como Marat y Robespierre.

De revolucionario a pintor de cámara

Al artista le aguardaban tiempos difíciles. En julio de 1794 cayó Robespierre y fue decapitado a toda prisa. David, su fiel partidario, estuvo seis meses entre rejas. Con gran habilidad restó importancia al papel que había desempeñado durante la Revolución: declaró que algunos «individuos» le habían engañado. Le pusieron en libertad y muy poco tiempo después David ya era un gran seguidor del nuevo soberano Napoleón I. Este le nombró su «premier peintre», su pintor personal y de cámara. A Napoleón, el estilo clásico de David le pareció muy adecuado para inmortalizar sus campañas militares. Pero los tiempos siguieron movidos. Tras la derrota en la batalla de Waterloo en el año 1815, Napoleón fue enviado al exilio, y de nuevo David pasó a ser considerado enemigo público. Huyó a Suiza y más tarde se exilió en Bruselas. Allí sufrió un grave accidente, cuyas secuelas le llevaron a la muerte el 29 de diciembre de 1825. Las autoridades francesas no permitieron que su cadáver fuera trasladado a Francia.

1748 Jacques-Louis David nace el 30 de agosto en París.

1774 Ganador del Premio de Roma con su pintura *Antíoco y Estratónice*.

1775 Viaje a Italia. Entusiasmo por el arte de la Antigüedad.

1782 Se casa con la realista Charlotte Pécoul. Durante la Revolución, se divorcia y a continuación se casa de nuevo.

1789 Estalla la Revolución francesa. David se convierte en su principal pintor y defensor.

1794 Es arrestado y encarcelado.

1804 Es nombrado «premier peintre» de Napoleón I.

1816 Huida a Bruselas.

1825 Muere en el exilio el 29 de diciembre.

[arriba]
Autorretrato (detalle), 1790-1791.
Óleo sobre lienzo, 64 x 53 cm.
Galería de los Uffizi, Florencia

[izquierda]
El juramento de los Horacios, 1784.
Óleo sobre lienzo, 330 x 425 cm.
Museo del Louvre, París

1789 Revolución francesa **1793** *La muerte de Marat*
(Jacques-Louis David)

1776 Independencia
de los Estados
Unidos de América

1791 Construcción de la
Puerta de Brandeburgo
en Berlín

1804 Napoleón Bonaparte
emperador de Franci

1700-1750 ROCOCÓ   CLASICISMO 1750-1790

1750-1790 CLASICISMO   ROMANTICISMO 1790-1840

1720 1725 1730 1735 1740 1745 1750 1755 1760 1765 1770 1775 1780 1785 1790 1795 1800 1805

06 Batalla de Trafalgar

1815 Derrota de Napoleón
en Waterloo

1848 *El manifiesto comunista*
(Karl Marx, Friedrich Engels)

1877 Reina Victoria I,
emperatriz de la India

1790-1840 ROMANTICISMO   IMPRESIONISMO 1860-1915

1810   1815   1820   1825   1830   1835   1840   1845   1850   1855   1860   1865   1870   1875   1880   1885   1890   1895

CASPAR DAVID FRIEDRICH

Con sus pinturas de paisajes casi infinitos, en los que el ser humano aparece pequeño y como perdido, asombrado ante la gran fuerza de la naturaleza, el pintor alemán Caspar David Friedrich creó algunas de las obras más relevantes del romanticismo.

Caspar David Friedrich no quería viajar a Italia para estudiar las obras de Rafael y de Miguel Ángel, o para captar el paisaje soleado de Florencia o Roma en dibujos y pinturas, como hacían sus amigos artistas. Él sentía predilección por la ciudad portuaria de Greifswald y por Dresde. En su tierra, con sus nubes oscuras, los molinos y las ruinas, los fríos inviernos, las encinas con viejos troncos llenos de nudos, los extensos prados y las playas del mar Báltico, este pintor meditabundo se sentía muy a gusto.

Caminar por la madre naturaleza

Friedrich quería pintar esos paisajes y explorarlos una y otra vez. Cuando estudiaba en la Kunstakademie de Dresde, a menudo cogía el bastón y su cuaderno de dibujo y se iba al campo. Más tarde viajó hasta el mar, a Bohemia y a los montes de Silesia. Allí hizo bocetos que años después, en su pequeño taller, le sirvieron de modelo para pinturas de enorme tamaño. Casi siempre se iba solo a caminar para encontrarse a sí mismo en medio del silencio y sentirse integrado en el paisaje. «Debo entregarme a aquello que me rodea —escribió en una ocasión—, fundirme con las nubes y las rocas para ser lo que soy. Necesito soledad para poder hablar con la naturaleza.» La naturaleza de Dios, para ser exactos. En sus paisajes, Friedrich refleja su fe en la omnipresencia divina y la fuerza creadora de Dios.

Imágenes del viaje de novios

Sobre todo la isla de Rügen, situada en el Báltico, con sus escarpados acantilados de roca cretácea, le tenía subyugado. Siempre regresaba a esta isla. El viaje de novios que realizó en 1818 con su esposa Christiane también les llevó a Rügen. Ese mismo año, como una especie de recuerdo de vacaciones, realizó la obra *Los acantilados de creta de Rügen*, una de las pinturas más conocidas de Friedrich. En la imagen se ven tres excursionistas que nos dan la espalda absortos por completo en la contemplación del paisaje y el mar. Al fondo se aprecia un barco: ¿tal vez el comienzo

de un nuevo viaje? Más tarde, Friedrich se pintó a sí mismo con su esposa a bordo de un barco navegando hacia un futuro común. En 1824 el famoso pintor llegó a ser profesor en la Kunstakademie de Dresde. Friedrich, en compañía de su esposa y de su primera hija Emma, se mudó a una casa en las afueras de Dresde. Desde allí, tenía la posibilidad de ir a caminar por los alrededores cuando la añoranza por el paisaje le llenaba de inquietud.

1774 Caspar David Friedrich nace el 5 de septiembre en Greifswald.
1794 Estudia pintura en Copenhague y más tarde en Dresde.
1801 Conoce al pintor Philipp Otto Runge.
1802 Friedrich hace excursiones a pie por Rügen.
1807 Cambia del dibujo a pincel a la pintura al óleo.
1808 Pinta sus obras *La cruz de las montañas* y *El monje en la orilla del mar*.
1818 Friedrich se casa con Christiane Caroline Bommer.
1819 Nace Emma, la primera de sus dos hijas.
1824 Friedrich es profesor en la Kunstakademie de Dresde.
1840 Caspar David Friedrich muere el 7 de mayo en Dresde.

Romanticismo

Los pintores, los poetas y los músicos del romanticismo eran personas apasionadas. La inmensidad de la naturaleza, las imponentes montañas y el mar desbordaban su imaginación y ese sentimiento que se apoderaba de ellos era el que querían transmitir con su arte. En aquella época, en toda Europa estaban de moda las pinturas con paisajes montañosos, bosques cubiertos de niebla, tumbas iluminadas por la luna y «románticas» iglesias en ruinas. Pero el fabuloso mundo de los caballeros y los castillos y el misterioso Oriente también estimulaban la fantasía de los artistas. El romanticismo duró aproximadamente de 1790 a 1830. Algunos representantes de renombre fueron los franceses Théodore Géricault y Eugène Delacroix, los ingleses William Turner y Johann Heinrich Füssli, así como Philipp Otto Runge, conocido de Friedrich.

[arriba]
Autorretrato, hacia 1800. Dibujo en tiza, 42 x 27,6 cm. Museo Nacional de Arte de Copenhague

[página izquierda]
El caminante sobre el mar de niebla, hacia 1818. Óleo sobre lienzo, 94,8 x 74,8 cm. Kunsthalle, Hamburgo

[izquierda]
La cruz de las montañas (El retablo de Tetschen), 1808. Óleo sobre lienzo, 115 x 110,5 cm. Galería de los Nuevos Maestros, Dresde

[abajo]
El mar de hielo, hacia 1823-1824. Óleo sobre lienzo, 96,7 x 126,9 cm. Kunsthalle, Hamburgo

[página derecha]
Los acantilados de creta de Rügen, hacia 1818. Óleo sobre lienzo, 90,5 x 71 cm. Colección Oskar Reinhart, Winterthur

1776 Independencia de los Estados
Unidos de América

1789 Estalla la Revolución
francesa

1804 Napoleón Bonaparte,
emperador de Francia

1805 Batalla de Trafalgar

1700-1750 ROCOCÓ   CLASICISMO 1750-1790

1750-1790 CLASICISMO   ROMANTICISMO 1790-1840

1730 1735 1740 1745 1750 1755 1760 1765 1770 1775 1780 1785 1790 1795 1800 1805 1810 1815

[derecha]
La Dogana, San Giorgio y la Citella desde las escaleras del Hotel Europa, 1842. Óleo sobre lienzo, 61,6 x 92,7 cm. Tate Gallery, Londres

[abajo]
Tormenta de nieve: un barco de vapor situado delante de un puerto hace señales en aguas poco profundas y avanza a la sonda. El autor se encontraba en esa tempestad la noche en que el Ariel abandonó Harwich, 1844. Óleo sobre lienzo, 91,5 x 122 cm. Tate Gallery, Londres

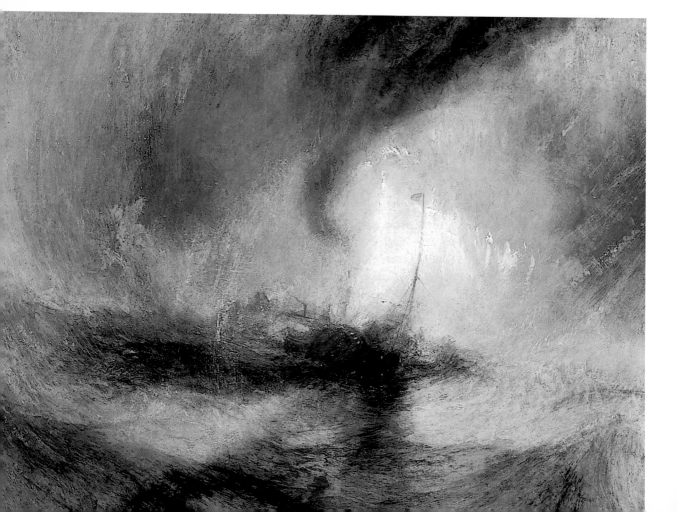

1824 Se inicia la construcción
del Palacio de Windsor

1837 Victoria I, reina de Inglaterra

1842 China cede Hong Kong a Inglaterra

1865 Abolición de la esclavitud en EE.UU.

1830 Ferrocarril Liverpool-Manchester

1871 El origen del hombre (Charles Darwin)

1790-1840 ROMANTICISMO   IMPRESIONISMO 1860-1915

1820   1825   1830   1835   1840   1845   1850   1855   1860   1865   1870   1875   1880   1885   1890   1895   1900   1905

WILLIAM TURNER

William Turner no se dejaba amilanar ni siquiera por grandes peligros con tal de estudiar el colorido de las fuerzas de la naturaleza. Llegó a ser un verdadero maestro de la luz.

Este inconfundible pintor inglés no dejó pasar ninguna ocasión con tal de vivir en primera persona ciclones, mareas, aludes y erupciones volcánicas. Durante una tormenta de nieve en la que se vio envuelto un transbordador en el que viajaba, hizo que le sujetaran al mástil con el único objetivo de no perder ni un detalle de la furia y el estrépito del viento y de los colores del cielo. En el margen de los bocetos que hizo durante el temporal, anotó dos palabras en letra pequeña: «Casi zozobramos». Después, en el taller, esta aventura en barco se convirtió en una de las composiciones de Turner más agitadas: *Tormenta de nieve.* Los ojos del observador son atraídos hacia la imagen cargada de energía como si de una resaca se tratara. El pintor no deja lugar a dudas respecto a la indefensión del hombre frente a la naturaleza.

La práctica hace maestros

Turner, ya de niño, se sentía fascinado por las fuerzas de la naturaleza. Sobre todo le encantaba el agua del Támesis que fluía infatigable y que se encontraba a muy pocos pasos de su casa paterna en Londres. Retenía las instalaciones portuarias del Támesis y los aparejos de los barcos, que casi siempre desaparecían entre la niebla en pequeños dibujos que con regularidad exponía en la peluquería de su padre. Aunque nunca recibió formación artística, su experiencia y su gran talento se vieron recompensados con una beca para la Real Academia británica, que consiguió cuando tenía 14 años de edad. Allí pronto alcanzó fama y descrédito. Consideraba a los demás artistas, incluso a los viejos maestros, como sus rivales. En la primavera de 1799 tuvo la ocasión de estudiar una obra de Claude Lorrain, que gozaba de admiración general, y Turner decidió pintar paisajes similares. En lugar de dejarse amedrentar por los grandes pintores, quiso demostrarles que él era el más grande, y pronto se hizo un nombre como maestro del paisajismo romántico.

Impresiones italianas

La erupción del Vesubio fue un auténtico espectáculo que tuvo la oportunidad de presenciar durante su viaje a Italia en 1819. Turner cambió radicalmente su forma de pintar al ver la lava ardiente que descendía por la incomparable vertiente sur del volcán llenándola de luz. Agotó todos los efectos de la luz como ningún otro pintor. Los colores casi explotaban en sus pinturas, que en los años sucesivos se hicieron cada vez más abstractas. Además de la grandiosidad de los fenómenos naturales y los barcos, también inmortalizó en sus lienzos perspectivas de ciudades como Roma y Venecia dominadas por la luz.

Para Turner, sus obras eran criaturas únicas y, antes de su muerte, el 19 de diciembre de 1851, insistió en que deberían mantenerse unidas como si fueran una familia. Pero el Museo Victoria y Alberto de Londres lo consiguió durante muy poco tiempo, y entonces la alegre y variopinta familia de 20.000 obras se separó.

1775 Joseph Mallord William Turner nace el 23 de abril en Londres.
1790 Presenta su primera acuarela en la Real Academia británica.
1802 Miembro de pleno derecho de la Academia.
1807 Turner empieza su actividad como profesor de perspectiva.
1819 Viaje a Italia. En cuatro meses hace 2.000 bocetos.
1829 Muere su padre.
1851 El artista fallece el 19 de diciembre en Chelsea.

LECTURA RECOMENDADA
VV.AA. *Turner y Venecia.* Barcelona: Fundació La Caixa, 2005.

[arriba]
Autorretrato, hacia 1799.
Óleo sobre lienzo, 58 x 72,5 cm.
Tate Gallery, Londres

Lluvia, vapor y velocidad, 1844. Óleo
sobre lienzo, 91 x 121,8 cm. National
Gallery, Londres

WILLIAM TURNER

GUSTAVE COURBET

ÉDOUARD MANET

1804 Napoleón Bonaparte, emperador de Francia

1815 Derrota de Napoleón en Waterloo

1842 China cede Hong K
a Inglaterra

1844 *Los tres mosquete
(Alexandre Duma*

1750-1790 CLASICISMO   ROMANTICISMO 1790-1840

1790-1840 ROMANTICISMO

1760   1765   1770   1775   1780   1785   1790   1795   1800   1805   1810   1815   1820   1825   1830   1835   1840   1845

[derecha]
Acantilados en Etretat, 1869-1870.
Óleo sobre lienzo, 133 x 162 cm.
Museo de Orsay, París

[abajo]
El taller del pintor, 1855.
Óleo sobre lienzo, 359 x 598 cm.
Museo de Orsay, París

1857 *Madame Bovary*
(Gustave Flaubert)

1871 Las tropas alemanas invaden París

1887-1889 Construcción de la torre Eiffel en París

1861-1865 Guerra de Secesión estadounidense

1888 *Los girasoles* (Vincent van Gogh)

IMPRESIONISMO 1860-1915

1860-1915 IMPRESIONISMO   CUBISMO 1915-1920

1850   1855   1860   1865   1870   1875   1880   1885   1890   1895   1900   1905   1910   1915   1920   1925   1930   1935

GUSTAVE COURBET

El público parisino se mostró escandalizado por las monumentales obras del pintor francés Gustave Courbet, pues este no se amedrentraba ni ante la fealdad.

Los visitantes del taller de Gustave Courbet debieron de asustarse. Seguramente, no habían contado con que al entrar se enfrentarían a un toro que daba golpes con el rabo y les miraba enfurecido. Este pintor francés prefería utilizar ocasionalmente modelos distintos de las damas y caballeros de rigor. No es de extrañar que sus inusuales pinturas fueran rechazadas con regularidad por los críticos, porque las figuras representadas eran demasiado feas, sucias o parecían estar borrachas. Courbet tenía otro punto de vista: un pintor de verdad no debía dejarse intimidar por la fealdad.

En el templo del realismo

Courbet solía frecuentar la Brasserie Andler en París, el «templo del realismo», nombre que dio el escritor Jules Champfleury a la popular taberna. Allí se reunía con amigos como el escritor Charles Baudelaire, el filósofo Pierre Proudhon o el poeta Max Buchon. Todos eran representantes del realismo y simpatizaban con los revolucionarios que el 24 de febrero de 1848 derrocaron la monarquía constitucional bajo el reinado de Luis Felipe.

Éxito en el Salon de 1848

Courbet, que había abandonado la Academia de Arte de Besançon en 1839 sin terminar sus estudios, no tenía éxito en el Salon de París, la gran exposición de arte que se celebraba cada año en Francia. Solo tres de sus obras fueron aceptadas por el jurado entre 1841 y 1847. En 1848, después de la Revolución, se celebró un certamen sin jurado; Courbet aprovechó la ocasión y presentó diez de sus obras y, en efecto, los críticos quedaron entusiasmados. Desde entonces, cada una de sus obras causó sensación; aunque tampoco faltaron los reveses. Cuando tres de sus aportaciones a la Exposición Universal de 1855 fueron rechazadas, Courbet organizó su propia exposición en un almacén de forma paralela a la gran feria internacional. Llevaba por título *Le Réalisme* y está considerada como el nacimiento del realismo.

Huida a Suiza

Los amigos republicanos de Courbet eligieron al pintor tras la caída de Napoleón III en 1870 como presidente de la Comisión de Arte republicana; poco después, fue elegido concejal y, de esa forma, se convirtió en miembro de la Comuna. Después de su forzosa disolución, Courbet fue acusado de haber participado en la destrucción del monumento en honor a las victorias conseguidas por Napoleón. Fue condenado a pagar 300.000 francos para la reconstrucción del monumento, pero esto era demasiado para el artista, de modo que huyó a la Suiza francesa. El 31 de diciembre de 1877 murió en su exilio suizo de hidropesía.

Realismo

El objetivo de los pintores del realismo era representar la realidad con la mayor fidelidad posible. Esta tendencia ya existía en el mundo de la pintura desde la Antigüedad, pero el realismo se convirtió en una corriente artística con nombre propio a partir de la famosa exposición que Gustave Courbet organizó en 1855 en un almacén de París bajo el título de *Le Réalisme*. Entre los realistas más conocidos figuran, además de Courbet, el pintor y caricaturista Honoré Daumier, Adolf Menzel, Wilhelm Leibl, así como Jean-François Millet, cuya obra *Las espigadoras* alcanzó fama mundial. Millet era uno de los pintores de la Escuela de Barbizon, que en tiempos de la Revolución de 1848 se formó en el pueblo francés de Barbizon. Los temas de estos artistas se centraban en la naturaleza, por lo que se dedicaron a la pintura al aire libre en los bosques cercanos a París. Entre ellos figura Jean-Baptiste Camille Corot, conocido por sus paisajes poéticos.

1819 Courbet nace el 10 de junio en la ciudad francesa de Ornan.

1837 Asiste a clases de dibujo de modelos en la Academia de Arte de Besançon.

1839 El artista se traslada a París.

1847 Su amante Virginie Binet trae al mundo a un hijo común.

1848 Los críticos alaban sus contribuciones al Salon sin jurado del año de la Revolución.

1850-1851 *El Entierro en Ornan* se expone en el Salon.

1855 Paralelamente a la exposición mundial, Courbet organiza su propia exposición *Le Réalisme*, en la que presenta por primera vez *El taller del pintor*.

1873 Courbet huye a Suiza porque debe pagar 300.000 francos por el monumento de Napoleón que ha sido ultrajado por la Comuna.

1877 El pintor fallece el 31 de diciembre en su exilio en Suiza.

MUSEO RECOMENDADO
La casa natal de Courbet en Ornan es un museo en la actualidad:
www.musee-courbet.com

[arriba]
Gustave Courbet, fotografía

1815 Derrota de Napoleón en Waterloo   **1837** Victoria I, reina de Inglaterra

1824 Se inicia la construcción del   **1842** China cede Hong Kong
Palacio de Windsor   a Inglaterra

1750-1790 CLASICISMO   ROMANTICISMO 1790-1840   1790-1840 ROMANTICISMO

1770 1775 1780 1785 1790 1795 1800 1805 1810 1815 1820 1825 1830 1835 1840 1845 1850 1855

Beata Beatriz, 1864-1870.
Óleo sobre lienzo, 86,4 x 66 cm.
Tate Gallery, Londres

1861-1865 Guerra de Secesión
estadounidense

1888 Los girasoles (Vincent van Gogh)

1900 La interpretación de los sueños (Sigmund Freud)

1883 Primer rascacielos en Chicago
1883 La isla del tesoro (Robert Louis Stevenson)

IMPRESIONISMO 1860-1915   1860-1915 IMPRESIONISMO   CUBISMO 1915-1920   EXPRESIONISMO 1920-1940

1860   1865   1870   1875   1880   1885   1890   1895   1900   1905   1910   1915   1920   1925   1930   1935   1940   1945

DANTE GABRIEL ROSSETTI

El máximo exponente de los prerrafaelitas abrió camino al modernismo inglés con su particular representación de las personas y su estilo lineal.

Dante Gabriel Rossetti amaba por encima de todo a su mujer, Elisabeth Siddal, a quien llamaba «Guggum», y la retrató una y otra vez. En muchos de sus cuadros aparece la joven Elisabeth con su «abundante cabellera cobriza». Rossetti quedó completamente destrozado cuando ella murió el 11 de febrero de 1862 a causa de una sobredosis de láudano que el médico le había prescrito debido a sus constantes enfermedades. En su duelo, colocó en el ataúd el único manuscrito de sus poemas dedicados a ella. Sin embargo, siete años después, hizo desenterrar el ataúd y publicó los poemas.

Los prerrafaelitas
El comienzo de la carrera de Rossetti fue prometedor: los críticos escribieron en seguida numerosos elogios de su primera gran pintura al óleo, *La infancia de la Virgen María*, hasta que les llamaron la atención tres pequeñas letras en la esquina inferior izquierda del cuadro: PRB. Cuando la prensa desveló que se trataba de la abreviatura de la sociedad secreta de la Hermandad de los Prerrafaelitas, que pretendía revolucionar por completo el arte británico, Rossetti recibió de repente insultos de todos los lados.
El artista y siete de sus amigos pintores opinaban que el declive del arte británico se hallaba muy cerca, puesto que los pintores seguían intentando únicamente pintar como Rafael. Por ello, los prerrafaelitas se habían conjurado para hacer como si Rafael nunca hubiera existido. En su lugar, tomaron como modelo a los artistas góticos. Los romances medievales fueron sus motivos preferidos.

Tres mujeres fatales
La modelo favorita de Rossetti fue, durante mucho tiempo, una mujer opuesta por completo a su delicada y dulce Elisabeth. Se trataba de Fanny Cornforth, una mujer fuerte, rubicunda y de humor vulgar. Jane Morrris, la mujer de su amigo el artesano William Morris, también le gustaba. En casi todos sus cuadros, estas mujeres aparecen como auténticas

femmes fatales, mujeres irresistiblemente bellas y sensuales, que cautivan a los hombres y los llevan casi siempre a la perdición. Rossetti representaba a estas mujeres con gran encanto, lo que lograba mediante una técnica insólita: utilizaba un pincel de acuarela para sus pinturas al óleo y aplicaba los colores con tanta sutileza que todo se volvía delicado, frágil y onírico.

Final solitario
En 1872, Rossetti padeció una depresión nerviosa que le llevó a intentar suicidarse. Después de este suceso, se retiró de la vida social y se encerró cada vez más en su soledad. Permanecía la mayor parte del tiempo en su casa, que casi rebosaba de antigüedades, o en su jardín, por el que correteaban mapaches, armadillos y pavos reales. Sus manos le solían temblar demasiado para seguir pintando, debido al exceso de alcohol y las diferentes drogas que tomaba. Rossetti murió el Domingo de Pascua del año 1882.

1828 Dante Gabriel Rossetti nace el 12 de mayo en Londres.
1848 Junto a seis amigos, funda la Hermandad de los Prerrafaelitas.
1849 El cuadro *La infancia de la Virgen María* despierta entusiasmo.
1860 Rossetti se casa con Elisabeth (Lizzie) Siddal.
1862 Muere Lizzie. El artista cae en una depresión.
1872 Rossetti sufre una depresión nerviosa. Empieza a consumir drogas.
1881 Una apoplejía paraliza su pierna y brazo izquierdos.
1882 Rossetti muere el 9 de abril, Domingo de Pascua, en Birchington-on-Sea, Kent.

[arriba]
Autorretrato (detalle), 1853.
Dibujo a lápiz, colección privada

[izquierda]
Paolo y Francesca da Rimini, 1855.
Acuarela sobre papel, 25,4 x 44,9 cm.
Tate Gallery, Londres

1815 Derrota de Napoleón en Waterloo

1826 Primera fotografía

1750-1790 CLASICISMO   ROMANTICISMO 1790-1840   1790-1840 ROMANTICISMO

1770   1775   1780   1785   1790   1795   1800   1805   1810   1815   1820   1825   1830   1835   1840   1845   1850   1855

Desayuno sobre la hierba, 1863.
Óleo sobre lienzo, 214 x 270 cm.
Museo de Orsay, París

ÉDOUARD MANET

En sus brillantes pinturas, el pintor y artista gráfico francés Édouard Manet plasmó la vida parisina en todas sus facetas. Aunque nunca participó en ninguna exposición de impresionistas, influyó extraordinariamente en estos artistas con su pincelada rápida y en apariencia poco esmerada.

«Uno debe vivir de acuerdo con su época y obrar según lo que ve», decía Manet firmemente convencido. Por este motivo, solía pasear por los espléndidos bulevares de su ciudad natal, París, con sombrero de copa, guantes y elegantes botines. Le gustaba acudir a bares, cafés y cabarés, a las carreras de caballos y a bailes de disfraces, en medio del bullicio de la muchedumbre ataviada con sus elegantes vestidos de seda, sus joyas resplandecientes y sus fracs y sombreros de copa negros, en busca de inspiración para sus cuadros. Siendo hijo de un alto funcionario, disponía de dinero suficiente para disfrutar de los placeres de la gran ciudad junto a sus amigos artistas. Manet comentó en una ocasión: «Amo esta existencia: los salones, el ruido, las luces, las fiestas y el color». Sin embargo, Manet no solo mostró la alegría y belleza de París, sino también la soledad que podía invadir a los ciudadanos de la gran urbe.

Las numerosas caras de París

En tiempos de Manet, los artistas seguían aprendiendo en las escuelas y academias de pintura a pintar cuadros históricos con escenas tomadas de la Biblia o de la mitología griega. Manet, en cambio, mostraba la vida cotidiana de los cafés, las estaciones, los teatros de operetas y los parques con sus mendigos, cantantes callejeros, albañiles y emperifollados clientes de las cafeterías en toda su variedad y esplendor colorista. Mientras que la Academia prescribía una forma de pintar precisa y cuidada, Manet pintaba «a lo moderno», con numerosos matices cromáticos y rápidas pinceladas que difuminaban los detalles, de manera que las «manchas de pintura» solo formaban un cuadro cuando se miraba desde cierta distancia. Manet se sirvió además de la fotografía, que estaba poniéndose de moda. En sus pinturas, a veces, un paseante aparece en escena cortado por la mitad, como en una instantánea disparada por accidente. En la esquina superior izquierda del cuadro *Un bar del Folies-Bergère*, por ejemplo, asoman las piernas de un trapecista, algo inimaginable

en las pinturas planificadas con esmero de los artistas académicos.

Desnudos que causan sensación

Sobre todo los desnudos de Manet provocaron un gran revuelo en las exposiciones y fueron rechazados en repetidas ocasiones por el jurado del Salon de París, el célebre certamen anual de arte de Francia. En su obra *Desayuno sobre la hierba*, los observadores consideraron la desnudez de la mujer igual de escandalosa que ciertos caprichos pictóricos. Así, la perspectiva y las proporciones no están bien representadas en el cuadro: la barca de la orilla es demasiado pequeña en comparación con la bañista. Manet expuso contra viento y marea uno de estos cuadros, en el que se ve a una mujer ufana en su aseo matutino, en el escaparate de una prendería en medio de un bulevar parisino. Al fin y al cabo, sus cuadros no habían nacido en los museos, sino en las calles y en los locales públicos de la ciudad.

1832 Édouard Manet nace el 23 de enero en París.
1849 Manet decide ser artista.
1859 Rechazo del primer cuadro que presenta en el Salon de París.
1862 Manet se dedica a representar la vida parisina.
1863 El emperador encuentra «indecoroso» el cuadro *Desayuno sobre la hierba*.
1867 Exposición individual en una barraca de madera construida para este fin.
1872 Manet recibe los primeros encargos.
1874 Contrae matrimonio con Berthe Morisot.
1883 Manet muere el 30 de abril en su ciudad natal, París.

[arriba]
Édouard Manet, fotografía

[arriba]
El tocador de pífano, 1866. Óleo sobre
lienzo, 161 x 97 cm. Museo de Orsay, París

[derecha]
Un bar del Folies-Bergère, 1881-1882.
Óleo sobre lienzo, 96 x 130 cm.
Galerías del Instituto Courtauld, Londres

PAUL CÉZANNE ━━━

ÉDOUARD MANET ━━

CLAUDE MONET ━━

1826 Primera fotografía

1857 *Madame Bovary*
(Gustave Flaubert)

ROMANTICISMO 1790-1840   1790-1840 ROMANTICISMO   IMPRESIONISMO 1860-1915

| 1785 | 1790 | 1795 | 1800 | 1805 | 1810 | 1815 | 1820 | 1825 | 1830 | 1835 | 1840 | 1845 | 1850 | 1855 | 1860 | 1865 | 1870 |

[arriba]
Naturaleza muerta con jarro de jengibre,
calabaza y berenjenas, 1893-1894.
Óleo sobre lienzo, 72,4 x 91,4 cm.
Museo del Ermitage, San Petersburgo

[derecha]
La montaña de Santa Victoria, c. 1900.
Óleo sobre lienzo, 78 x 99 cm. Museo
del Ermitage, San Petersburgo

1871 Las tropas alemanas
ocupan París

1887-1889 Construcción de la
torre Eiffel en París
1888 *Los girasoles* (Vincent van Gogh)
1897-1899 *Nenúfares*
(Claude Monet)

1901 Nacimiento de Walt Disney
1905-1907 Creación de los grupos artísticos
Die Brücke y Der Blaue Reiter
1914-1918 Primera Guerra Mundial

1860-1915 IMPRESIONISMO   **CUBISMO 1915-1920**   **EXPRESIONISMO 1920-1940**   **EXPRESIONISMO ABSTRACTO 1940-1960**

1875 1880 1885 1890 1895 1900 1905 1910 1915 1920 1925 1930 1935 1940 1945 1950 1955 1960

PAUL CÉZANNE

El pintor francés Paul Cézanne componía sus paisajes como en un juego de construcciones para poner de manifiesto la «belleza sencilla» del sur de Francia. Con ello influyó como ningún otro en los pintores del cubismo y, además, en Claude Monet, Edgar Degas o Pablo Picasso. Desde entonces, es considerado el principal precursor del estilo moderno.

Cézanne amaba el paisaje que rodeaba su lugar de nacimiento, Aix, en la sureña Provenza francesa. Junto con su compañero de clase, Émile Zola, recorrió la Provenza, a menudo durante días enteros, a través de sus suaves colinas, sus fértiles campos y sus rocas escarpadas. Ambos estaban especialmente enamorados del monte Sainte-Victoire. Bajo la sombra de los pinos, uno pintaba sus cuadros mientras el otro escribía sus poemas.

Cuando Zola decidió marcharse a París, Cézanne suplicó a su padre que le dejara acompañar a su amigo al centro del mundo artístico. Finalmente, obtuvo el permiso paterno para trasladarse a la capital a estudiar pintura. Sin embargo, a los pocos meses la nostalgia hizo volver al joven artista a la Provenza.

Un paisaje sacado de una caja de construcciones

Cézanne intentó echar raíces en París en otras siete ocasiones y escapar así de la estricta autoridad de su padre. Allí tenía un estudio donde vivía con escasos medios y participó en dos exposiciones de los impresionistas. Sin embargo, en seguida comprendió que no le convencía la manera de pintar de estos artistas. Cézanne regresaba una y otra vez a la casa de campo de su padre en su amada Provenza. Durante la guerra entre Alemania y Francia, el pintor se ocultó en el cercano pueblo pesquero de L'Estaque para no ser llamado a filas. Allí nacieron algunas de sus pinturas más bellas. A Cézanne no le importaba la novedad del motivo pictórico; se dedicaba, por ejemplo, a pintar en incontables ocasiones el monte Sainte-Victoire o naturalezas muertas con manzanas. Para él, era menos relevante lo que pintaba que la manera en que lo pintaba. Cuando Zola se convirtió en un famoso escritor, rememoraba la Provenza, que se reducía, según él, a formas y colores fuertes: «El blanco luminoso de las escarpadas montañas se atenúa con los tonos amarillos y marrones, y los pinos se elevan como verdes puntos sobre la tierra roja. En lo alto, por encima del borde negro de los pinos, se extiende

el cielo azul como una cinta infinita». Cézanne contempló la Provenza de forma parecida, y precisamente así la representó: compuesta de formas sencillas y colores vivos, con ausencia de los colores blanco y negro, con gruesos trazos de pincel y espátula.

El final de una amistad de juventud

Zola publicó en 1886 la novela *La obra*, que trataba de un pintor fracasado. Cézanne, que todavía no había saltado a la fama, creyó reconocerse en el protagonista del libro. Dolido, rompió su amistad con el poeta. A Cézanne tampoco le interesó mucho su posterior fama en París, donde antes le habían ridiculizado. Enfermo, huraño y solo, murió poco después de un último paseo por Aix-en-Provence, tal y como él lo había previsto: «Aquí he nacido y aquí moriré».

1839 Paul Cézanne nace el 19 de enero en Aix-en-Provence.
1852 Traba amistad con el futuro escritor Émile Zola.
1861 Cézanne se traslada por primera vez a París.
1869 Conoce a su amante Hortense Fiquet.
1870 Durante la guerra franco-germana reside en el pueblo pesquero de L'Estaque.
1872 Nace Paul, el hijo de Cézanne.
1886 Rompe la relación con Émile Zola. Contrae matrimonio en abril con Hortense.
1895 Tiene lugar en París la primera gran exposición de Cézanne.
1900 Sus cuadros se exponen también en Alemania.
1906 Paul Cézanne muere el 22 de octubre en Aix-en-Provence, su ciudad natal.

PÁGINA WEB Y MUSEO RECOMENDADOS
En Aix-en-Provence, al sur de Francia, se puede visitar aun hoy el estudio de Cézanne. Allí se encuentran muchos objetos que aparecen en sus naturalezas muertas: www.atelier-cezanne.com

[arriba]
Cézanne en la colina de Les Lauves, 1905. Fotografía de Émile Bernard

[izquierda]
Muchacho con chaleco rojo, 1888-1890.
Óleo sobre lienzo, 79,5 x 64 cm.
Propiedad privada, Suiza

CLAUDE MONET

ÉDOUARD MANET

VINCENT VAN GOGH

1826 Primera fotografía

1837 Victoria I, reina de Inglaterra

1871 Las tropas alemanas
ocupan París

ROMANTICISMO 1790-1840   1790-1840 ROMANTICISMO   IMPRESIONISMO 1860-1915

1790   1795   1800   1805   1810   1815   1820   1825   1830   1835   1840   1845   1850   1855   1860   1865   1870   1875

Nenúfares, 1903.
Óleo sobre lienzo, 73 x 92 cm.
Museo Marmottan, París

1914-1918 Primera Guerra Mundial

1887-1889 Construcción de la torre Eiffel en París

1888 Los girasoles (Vincent van Gogh)

1921 Albert Einstein recibe el Premio Nobel

1905-1907 Creación de los grupos artísticos
Die Brücke y Der Blaue Reiter

1927 Charles Lindbergh sobrevuela el Atlántico

1860-1915 IMPRESIONISMO   CUBISMO 1915-1920   EXPRESIONISMO 1920-1940   EXPRESIONISMO ABSTRACTO 1940-1960

1880   1885   1890   1895   1900   1905   1910   1915   1920   1925   1930   1935   1940   1945   1950   1955   1960   1965

CLAUDE MONET

El pintor francés Claude Monet se interesaba sobre todo por la luz del sol. Le importaba más captar la variedad de ambientes a lo largo del día y de las estaciones que fotografiar el mundo de modo preciso. Con esta concepción allanó el camino al impresionismo.

Monet fue bastante mal estudiante. Al menos eso solía repetir más tarde con regocijo. Cuando el sol brillaba tentador, él prefería pasear por la costa en los alrededores de la ciudad portuaria de El Havre, subir a los acantilados o bañarse en el mar. Monet decía que entonces llevaba una vida insensata, pero en cambio muy saludable. El resplandor de las luces sobre el agua, el centelleo del verano sobre los prados rojos y verdes cubiertos por amapolas y los dorados campos de trigo, el juego de sombras sobre las fachadas de las casas o en los pliegues de la caída de un vestido resplandeciente entusiasmaban a Monet desde la infancia. Cuando se trasladó a París con la intención de convertirse en pintor, intentó capturar en sus cuadros las mil facetas de esas luces y resplandores.

Inicios artísticos como caricaturista

Monet ya dibujaba mucho cuando iba a la escuela, sobre todo durante las clases. Cuando un profesor le resultaba demasiado aburrido, le garabateaba «de manera irrespetuosa» en su cuaderno de caligrafía o de aritmética. Lo representaba con una enorme cabeza sobre un diminuto cuerpo, «tan desfigurado como fuera posible». Estas caricaturas pronto lo hicieron famoso; muchos compraban sus jocosos retratos, que exponía en el escaparate de una tienda de marcos. Más tarde, tendría que vivir de la venta de caricaturas, puesto que sus padres no estuvieron dispuestos a apoyar su deseo de convertirse en pintor profesional. En 1862, Monet fue llamado a filas en el regimiento africano destinado en Argelia durante un año. Según Monet relataba más tarde, las impresiones luminosas y cromáticas de África habrían educado a sus ojos para el oficio de pintor.

Pintar al aire libre

Tras regresar a Francia, Monet se propuso capturar el centelleo de los colores a la luz del sol. Pintó sus cuadros en las aguas bravas de la costa atlántica de El Havre, en el bosque de Fontainebleau, en el adorable paisaje de Argenteuil o en el puerto de Londres, con sol, viento, lluvia o nieve. No quería que sus cuadros nacieran en el estudio, sino directamente en la naturaleza, al aire libre. En París, Monet se hizo construir una pequeña barca que le sirvió de vivienda. Salía a remar por el Sena y pintaba el paisaje de las orillas y retratos de personas, sobre cuyos rostros resplandecían los destellos de los rayos del sol reflejados en el agua. Desde su estudio flotante, Monet pudo plasmar, desde una perspectiva distinta a la habitual, el placer del baño en verano, las fiestas junto al mar, las regiones costeras y las regatas. Todo esto era por aquel entonces muy poco común, y muchos artistas miraron con desprecio al pintor francés y a sus colegas que pintaban al aire libre.

Impresionismo

Los impresionistas franceses amaban la luz. Cuando hacía buen tiempo, se lanzaban al campo o a las calles de la ciudad para capturar en su lienzo, al aire libre, en las plazas, en los hipódromos o en los parques, el luminoso centelleo de los rayos del sol que atravesaban los árboles, la bruma sobre el Sena o el vapor de una locomotora. Querían retener la efímera impresión de la luz de una determinada hora del día con colores puros: aplicaban directamente los colores sobre el lienzo con rápidas pinceladas y sin contornos. Cuando uno se acerca mucho a uno de estos cuadros, la imagen parece diluirse otra vez en líneas y puntos. Tan solo observándolo desde lejos, se ve un cuadro imponente. Importantes representantes del impresionismo fueron los franceses Auguste Renoir, Edgar Degas, Alfred Sisley y Édouard Manet, y los alemanes Max Liebermann, Max Slevogt y Lovis Corinth. Esta corriente recibe el nombre del cuadro de Monet *Impresión, sol naciente*, en el que el artista capturó la bruma matinal en el puerto de El Havre.

1840 Claude Monet nace el 14 de noviembre en París.

1845 Se traslada con su familia a El Havre.

1856 Gana dinero con caricaturas.

1872 Pinta paisajes fluviales desde su estudio flotante.

1874 Monet participa en la primera exposición de los impresionistas con su cuadro *Impresión, sol naciente*.

1883 Alquila una casa en Giverny, donde planta su famoso jardín.

1897 En Giverny crea los primeros cuadros de nenúfares.

1900 El pintor padece una grave enfermedad ocular progresiva.

1926 Claude Monet muere el 6 de diciembre en Giverny.

PÁGINA WEB Y MUSEO RECOMENDADOS
La colección más amplia de las obras de Monet se expone en el Museo Marmottan de París. En la Fundación Claude Monet, en Giverny, se puede visitar la casa y el jardín del artista: www.intermonet.com

[arriba]
Claude Monet, diciembre de 1899.
Fotografía de Nadar

[arriba izquierda]
Portada de la catedral de Ruán,
(sol matinal), 1894. Óleo sobre lienzo,
107 x 74 cm. Colección Beyeler,
Riehen/Basilea

[arriba derecha]
Portada de la catedral de Ruán (a pleno
sol), 1892. Óleo sobre lienzo, 100 x 65 cm.
Propiedad privada, EE.UU.

[abajo]
Impresión, sol naciente, 1872.
Óleo sobre lienzo, 48 x 63 cm.
Museo Marmottan, París

Nace el impresionismo

La forma de pintar de Monet también provocaba mofa y escarnio entre sus críticos. Aplicaba los colores sobre el lienzo con el pincel directamente del tubo, en vez de mezclarlos antes en la paleta. Yuxtaponía los tonos en coloridas manchas. Con este estilo impresionista, Monet pintó locomotoras de vapor, paisajes fluviales compuestos por puntos de copos de nieve, delicados campos de tulipanes en el viento primaveral y coloridos prados de flores estivales. Ni siquiera pintó las sombras de estos cuadros simplemente de negro, sino compuestas de pequeños puntos y líneas de colores puros. Incluso la nieve del invierno es multicolor.

Un jardín que se repite...

Cuando finalmente Monet logró reconocimiento como pintor y ganaba más dinero, alquiló una casa en la aldea francesa de Giverny. En este lugar plantó un enorme jardín con un mar multicolor de flores, árboles frutales y un estanque de nenúfares rodeado de sauces llorones sobre el que cruzaba un puente japonés. El pintor plasmó en más de 200 de sus cuadros esta visión que tanto le fascinaba: una alfombra multicolor compuesta de numerosos nenúfares sobre una tranquila superficie acuática en la que en ocasiones se refleja de manera difusa el cielo y los árboles en blanco, azul claro y verde oliva.

Puente japonés, 1897-1899.
Óleo sobre lienzo, 90 x 90 cm.
Museo de Arte de la Universidad de Princeton

VINCENT VAN GOGH

CLAUDE MONET

GEORGES SEURAT

1826 Primera fotografía

1857 *Madame Bovary* (Gustave Flaubert)

1871 Las tropas alemanas
ocupan París

ROMANTICISMO 1790-1840   1790-1840 ROMANTICISMO   IMPRESIONISMO 1860-1915

1790   1795   1800   1805   1810   1815   1820   1825   1830   1835   1840   1845   1850   1855   1860   1865   1870   1875

El puente de Langlois, 1888.
Óleo sobre lienzo, 54 x 65 cm.
Museo Kröller-Müller, Otterlo

1905-1907 Creación de los grupos artísticos
Die Brücke y Der Blaue Reiter

1887-1889 Construcción de la torre Eiffel en París   **1914-1918** Primera Guerra Mundial
1895 Primera exhibición cinematográfica   **1921** Albert Einstein recibe el Premio Nobel
1897-1899 *Nenúfares* (Claude Monet)

1860-1915 IMPRESIONISMO   CUBISMO 1915-1920   EXPRESIONISMO 1920-1940   EXPRESIONISMO ABSTRACTO 1940-1960

| 1880 | 1885 | 1890 | 1895 | 1900 | 1905 | 1910 | 1915 | 1920 | 1925 | 1930 | 1935 | 1940 | 1945 | 1950 | 1955 | 1960 | 1965 |

VINCENT VAN GOGH

Este pintor postimpresionista de origen holandés pintó sus obras más importantes en el sur de Francia. En menos de diez años surgió la brillante y colorista obra de Vincent van Gogh. Durante su vida apenas vendió un cuadro; sin embargo, actualmente se le considera uno de los pintores más importantes de la historia del arte.

A Van Gogh le preocupó durante casi toda su vida no poder pintar correctamente. «Garabatos» llamó a sus primeros dibujos en una de sus cartas a su querido hermano Theo. Más tarde, cuando Vincent estudió pintura en la Academia, incluso tuvo que repetir un curso, porque supuestamente no era capaz de pintar. Sus primeros y desmañados cuadros no muestran, en efecto, ni un atisbo del genio posterior. Consciente de su situación, escribió a Theo: «Se aprende trabajando, y pintando se llega a pintor».

Un largo camino para convertirse en pintor
Vincent fue poco afortunado en la vida: perdió su trabajo como marchante de arte en una galería a causa de las disputas con los clientes, tampoco tenía vocación para ser profesor ayudante o predicador ambulante. Hasta su muerte dependió económicamente de su hermano Theo, quien le enviaba dinero y en ocasiones utensilios de pintura a su estudio. Aun así, Vincent tenía que decidir a menudo si prefería comer caliente o comprar pinturas, y la mayoría de las veces optaba por los tubos de pintura.

En sus inicios, Vincent representó la pobreza de los campesinos y jornaleros del campo en tonos oscuros y «polvorientos». *Los comedores de patatas* es un célebre cuadro de esta primera etapa creadora. Más tarde, conoció en París a muchos pintores impresionistas y siguió desarrollando la percepción de la luz y el color con su propio estilo.

Los colores de la Provenza
En 1888 Vincent se trasladó a Arles. Bajo el radiante cielo azul del sur de Francia, se lanzó entusiasmado por los campos de trigo centelleantes por la luz a capturar el paisaje inundado por el sol. Vincent pintaba hasta cuatro cuadros por semana: retratos de amigos y vecinos, paisajes con barcos o albaricoqueros en flor, tempestuosas noches estrelladas con cipreses ondulantes apuntando al cielo, o naturalezas muertas con girasoles de fogoso naranja. Pintaba el paisaje meridional con pinceladas gruesas, enérgicas y

arremolinadas, en luminosos y cálidos tonos rojos, verdes, azules, naranjas, amarillos azufre y lilas. «Lo importante es que las grandes líneas estén plasmadas en un santiamén», escribió a su hermano Theo.

Siempre había sido una persona difícil, pero en Arles Van Gogh se puso realmente enfermo. En una ocasión se cortó él mismo un trozo de su oreja tras una fuerte discusión con su amigo el pintor Paul Gauguin. Después de ese acto de locura, el pintor pasó varios meses en el hospital para enfermos nerviosos de Saint-Rémy, en el sur de Francia.

Hasta su muerte, Vincent van Gogh no había vendido más que un cuadro: su forma de pintar era demasiado extraña para su época, aunque poco después su arte influiría en muchos jóvenes pintores. Hoy en día los cuadros de Van Gogh alcanzan precios astronómicos. El hombre que creía que no sabía pintar se ha convertido con el tiempo no solo en uno de los artistas más importantes, sino también en uno de los más cotizados del mundo.

1853 Vincent van Gogh nace el 30 de marzo en la ciudad holandesa de Zundert.
1879 Trabaja en Cuesmes de predicador auxiliar y comienza a dibujar.
1882 Recibe clases de pintura en La Haya.
1886 Vincent van Gogh se traslada a París y conoce a los impresionistas.
1888 Viaja a Arles, en el sur de Francia, y halla su inconfundible estilo.
1888 Paul Gauguin visita a Van Gogh en su casa amarilla.
1889 Van Gogh es ingresado en el hospital para enfermos nerviosos de Saint-Rémy.
1890 En una exposición se llega a vender su primer óleo.
1890 Vincent van Gogh muere el 29 de julio en Auvers-sur-Oise.

PÁGINA WEB Y MUSEO RECOMENDADOS
En el Museo Van Gogh, en Ámsterdam, se obtiene mucha información sobre el artista. Posee la mayor colección de su obra de todo el mundo. Se puede visitar también en: www.vangoghmuseum.nl

[arriba]
Autorretrato con oreja vendada (detalle), 1889. Óleo sobre lienzo, 60 x 49 cm. Galerías del Instituto Courtauld, Londres

[página derecha]
Doce girasoles en un jarrón, 1888.
Óleo sobre lienzo, 91 x 72 cm.
Neue Pinakothek, Munich

[izquierda]
Los comedores de patatas, 1885.
Óleo sobre lienzo, 82 x 114 cm.
Museo Van Gogh, Ámsterdam

[abajo]
Trigal con cuervos, 1890.
Óleo sobre lienzo, 50,5 x 103 cm.
Museo Van Gogh, Ámsterdam

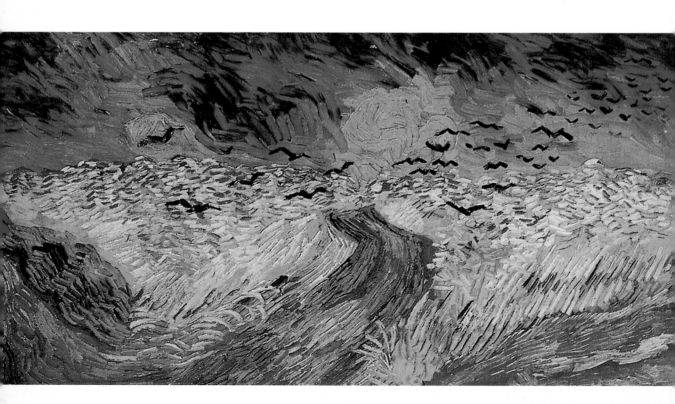

GEORGES SEURAT

VINCENT VAN GOGH

HENRI MATISSE

1826 Primera fotografía

1857 *Madame Bovary* (Gustave Flaubert)

1871 Las tropas alemanas
ocupan París

ROMANTICISMO 1790-1840   1790-1840 ROMANTICISMO   IMPRESIONISMO 1860-1915

| 1790 | 1795 | 1800 | 1805 | 1810 | 1815 | 1820 | 1825 | 1830 | 1835 | 1840 | 1845 | 1850 | 1855 | 1860 | 1865 | 1870 | 1875 |

[izquierda]
Un baño en Asnières, 1883-1884.
Óleo sobre lienzo, 201 x 300 cm.
National Gallery, Londres

[abajo]
La Grande Jatte, 1884-1886.
Óleo sobre lienzo, 206 x 306 cm.
Instituto de Arte de Chicago

1887-1889 Construcción de
la torre Eiffel en París

1905-1907 Creación de los grupos artísticos
Die Brücke y Der Blaue Reiter

1895 Primera exhibición cinematográfica   **1914-1918** Primera Guerra Mundial

1897-1899 *Nenúfares* (Claude Monet)   **1921** Albert Einstein recibe el Premio Nobel

1860-1915 IMPRESIONISMO   CUBISMO 1915-1920   EXPRESIONISMO 1920-1940   EXPRESIONISMO ABSTRACTO 1940-1960

| 1880 | 1885 | 1890 | 1895 | 1900 | 1905 | 1910 | 1915 | 1920 | 1925 | 1930 | 1935 | 1940 | 1945 | 1950 | 1955 | 1960 | 1965 |

GEORGES SEURAT

El inventor del puntillismo logró plasmar en sus pinturas, punto a punto, una luminosidad y armonía hasta entonces desconocidas. Con su nueva técnica pictórica, el pintor francés Georges Seurat creó el neoimpresionismo.

«Él es uno de esos bonachones testarudos que dan sensación de tímidos, aunque en realidad no retroceden ante ningún reto», escribió una vez un coetáneo sobre el taciturno pintor. Después del rechazo de su lienzo *Un baño en Asnières* por el Salon de París, Seurat hizo caso omiso de este importante trampolín para los artistas de entonces y prefirió reunirse con pintores jóvenes e independientes. El 15 de mayo de 1884, el grupo Artistes Indépendants inauguró su primera exposición en una barraca miserable de París. El certamen resultó ser un fracaso económico, pero la nueva técnica pictórica de Seurat estuvo de repente en boca de todos.

Con perseverancia hacia el éxito

La admiración que suscitaba Seurat en los círculos artísticos de París fue asumida por el artista como justo reconocimiento a su inteligencia, aunque también a su rigurosa forma de trabajar, casi obstinada. Sus colegas, y también sus críticos, veían en el introvertido pintor un auténtico innovador, que había logrado perfeccionar el impresionismo con la creación del puntillismo.

Mientras la crítica y la adulación a su obra le dejaban más bien frío, Seurat hizo todo lo posible por no dejar lugar a dudas sobre la autoría del puntillismo. El pintor guardó celosamente los detalles de su teoría. Seurat no dejaba nada al azar sobre el lienzo. Planificaba sus enormes obras durante mucho tiempo, realizaba miles de bocetos y elaboraba el cuadro hasta el último detalle. Para la realización de su pintura *La Grande Jatte*, fue cada mañana durante meses a la isla del Sena del mismo nombre, donde realizaba bocetos de sus visitantes. Por las tardes, desarrollaba las nuevas impresiones e ideas sobre su lienzo. Finalmente, yuxtaponía punto tras punto, consciente de que los diminutos puntos se mezclarían como un todo en la cabeza del observador sin perder luminosidad ni intensidad. Los motivos típicamente impresionistas de Seurat, como los paisajes estivales o las escenas en el puerto o en las costas, irradian, gracias a este método, una armonía que no ha logrado casi ningún otro pintor. No obstante, si se observa con atención a los personajes de los cuadros de Seurat, pese a toda la armonía, llama la atención el hecho de que, a menudo, estos parecen aislados, quietos y silenciosos. Incluso en los cuadros realmente alegres sobre el circo, que el artista pintó poco antes de su muerte, se siente todavía este aislamiento.

La familia secreta

Seurat debía parecer intachable y correcto como el vigilante de unos grandes almacenes, por lo que su deslenguado colega Degas le llamaba «notario». Seurat era tan reservado que solo unos días antes de su temprana muerte, presentó a su pequeña familia a su madre. Seurat, quien murió a la edad de 31 años, convivía en secreto con su modelo, Madeleine Knoblock, desde hacía dos años. En 1890 había nacido su hijo, Pierre-Georges.

1859 Georges-Pierre Seurat nace el 2 de diciembre en París.
1878 Estudia en la Escuela de Bellas Artes.
1879 Servicio militar en Brest.
1884 El Salon rechaza la obra *Un baño en Asnières*. Seurat es cofundador de la Société des Artistes Indépendants.
1886 Expone por primera vez *La Grande Jatte*.
1890 Su esposa Madeleine Knoblock da a luz un hijo.
1891 Seurat muere el 29 de marzo en París, probablemente a causa de una meningitis.

Puntillismo

La técnica pictórica del puntillismo, desarrollada por Georges Seurat, guarda parecido con la imagen compuesta por muchos miles de píxeles de la pantalla del televisor. Las pinturas se componen igualmente de innumerables puntos de color, aplicados con ligeros toques sobre el lienzo en un laborioso trabajo. El cerebro, al captar los diminutos puntos, los mezcla ópticamente para formar las superficies de color y los motivos. Además de Seurat, su amigo Paul Signac también practicó esta técnica; más tarde se les unieron otros artistas. No obstante, la relativa rigidez del procedimiento del puntillismo excluía toda evolución de esta forma de pintar.

[arriba]
Georges Seurat, fotografía

GUSTAV KLIMT

VINCENT VAN GOGH

VASSILY KANDINSKI

1826 Primera fotografía

1871 Las tropas alemanas ocupan París

1886 Primeros coches con
motor de gasolina

1790-1840 ROMANTICISMO

IMPRESIONISMO 1860-1915

| 1800 | 1805 | 1810 | 1815 | 1820 | 1825 | 1830 | 1835 | 1840 | 1845 | 1850 | 1855 | 1860 | 1865 | 1870 | 1875 | 1880 | 1885 |

1905-1907 Creación de los grupos artísticos
Die Brücke y Der Blaue Reiter

1933 Hitler se convierte en führer
y canciller de Alemania

1888 Los girasoles (Vincent van Gogh)

1914-1918 Primera Guerra Mundial

1895 Primera exhibición cinematográfica

1921 Albert Einstein recibe el Premio Nobel

1860-1915 IMPRESIONISMO   CUBISMO 1915-1920   EXPRESIONISMO 1920-1940   EXPRESIONISMO ABSTRACTO 1940-1960   POP-ART 1960-1975

1890 1895 1900 1905 1910 1915 1920 1925 1930 1935 1940 1945 1950 1955 1960 1965 1970 1975

GUSTAV KLIMT

Con sus retratos, el pintor austriaco Gustav Klimt puso rostro al modernismo vienés. Adquirió fama especial su brillante pintura dorada El beso, *el cuadro más importante de esa época. Resultan encantadores también los cuadros de paisajes del pintor, por otra parte conocido sobre todo por sus retratos femeninos.*

Klimt hizo buenos negocios con el arte desde niño. Con solo 15 años, realizaba retratos a partir de fotos junto con su hermano Ernst, con quien más tarde también pintó muchos cuadros por encargo de la Administración pública. Aun cuando el estilo de Klimt para pintar vestidos y fondos se volvió cada vez más «irreal», la mayoría de los rostros retratados los pintó hasta el final con precisión fotográfica. Klimt trabajaba siempre en varias obras a la vez, y todas tenían que ser perfectas. Al morir, dejó inacabado el cuadro titulado *La novia*. Esta obra nos permite conocer su forma de trabajar: primero pintaba a las personas desnudas y luego las «vestía» de oro y colores puros.

Klimt se hizo famoso por sus hermosos retratos de damas distinguidas elegantemente vestidas. En cambio, sus cuadros de mujeres-serpiente de semblante feroz o de sirenas no gozaron de tanta popularidad en Viena. Cuando Klimt no soportaba la crítica y el escarnio, o el jaleo de la gran ciudad, se trasladaba a descansar al campo. A orillas del lago Atter, el artista solitario, enfundado en su amplio blusón de pintor, paseaba en busca de temas y llenaba lienzos cuadrados con floridos campos de girasoles, perales o prados de amapolas.

Cofundador de la Sezession de Viena

Los profesores de pintura de la Escuela de Bellas Artes vienesa también encontraban demasiado modernos y sensuales los cuadros de vistoso colorido, con círculos y ondulantes líneas y adornos con arabescos, de Klimt. Cuando se le negó una cátedra, el artista fundó junto a simpatizantes suyos una agrupación propia para el nuevo arte: la Sezession, cuyo primer presidente fue Klimt. El arquitecto Joseph Maria Olbrich construyó una sede propia para el grupo en Viena, cuya cúpula dorada recuerda a un templo. Klimt decoró una de las salas con un enorme friso dedicado al compositor Ludwig van Beethoven y su *Novena sinfonía*. En este friso representó el eterno anhelo del hombre por la felicidad y la amenaza que

suponen la enfermedad, la locura y la muerte para sus sueños. En el fragmento alegre del *Friso de Beethoven*, una pareja de enamorados estrechamente abrazados se acarician. Esto mismo ocurre en la sinfonía de Beethoven, donde un coro gigantesco canta con brío estas pomposas palabras: «Alegría, hermosa chispa divina. [...] Que este beso alcance al mundo entero». Un beso es también el motivo de la obra más conocida de Klimt; en el cuadro de gran formato titulado *El beso*, el pintor representó las «insalvables» diferencias entre hombre y mujer, un tema importante en el modernismo. El hombre «anguloso» lleva una túnica con adornos rectangulares en blanco y negro; la mujer «delicada», un vestido con círculos multicolor a modo de flores.

Modernismo

Alrededor del año 1900, arquitectos, pintores y escultores, además de ebanistas, artistas del vidrio y joyeros, se entusiasmaron con el decorativo estilo modernista. Querían que todo fuera más imaginativo, fresco, joven y animado que el anquilosado arte académico. Por esto solían colocar en obras de arte y muebles adornos que recuerdan a flores y volutas. En Viena, el modernismo se denominó *Sezession*; en París, donde nació, se llamó *art nouveau*. Importantes representantes del modernismo, que se extendió por toda Europa, fueron Aubrey Beardsley en Inglaterra, Antonio Gaudí en España, Henry van de Velde en Bélgica y Franz von Stuck en Alemania.

1862 Klimt nace el 14 de julio en el pueblo de Baumgarten, cerca de Viena.

1876 Estudia en la Escuela de Artes y Oficios de Viena.

1886 Junto con su hermano Ernst, realiza pinturas para el Teatro Nacional de Viena.

1893 El ministro de Educación le deniega un puesto de profesor.

1897 Klimt funda con unos amigos la Sezession.

1898 En Attersee, el paisaje se convierte en tema pictórico.

1902 Klimt pinta el *Friso de Beethoven* en el edificio de la Sezession. Auguste Rodin queda entusiasmado.

1910 Participa con éxito en la Bienal de Venecia.

1918 Klimt muere el 6 de febrero a causa de una apoplejía en Viena.

PÁGINA WEB Y MUSEOS RECOMENDADOS
Muchas de las obras de Klimt se encuentran hoy en la Galería Austriaca Belvedere de Viena. También en Viena se puede visitar el último estudio del artista en Feldmühlgasse 11 y 15a. Más información en: www.klimt.at

[arriba]
Klimt en su jardín frente a su estudio en la Josefstädterstraße, hacia 1912-1914. Fotografía

[página izquierda]
El beso, 1907-1908. Óleo, pan de plata y oro sobre lienzo, 180 x 180 cm. Galería Austriaca Belvedere, Viena

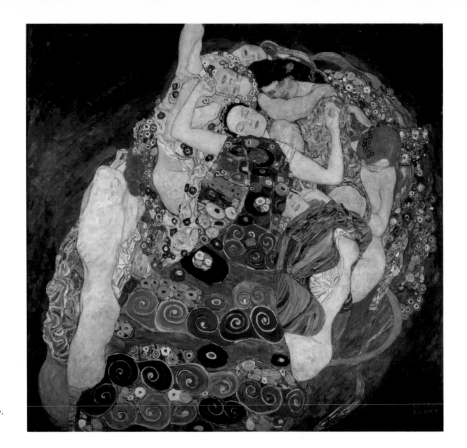

[derecha]
La virgen, 1913. Óleo sobre lienzo,
190 x 200 cm. Galería Národní, Praga

[abajo]
Detalle del *Friso de Beethoven*, 1902.
Caseína sobre imprimación de estuco,
220 x 636 cm. Galería Austriaca
Belvedere, Viena

Ladera boscosa en Unterach junto al lago Atter, 1916. Óleo sobre lienzo, 110 x 110 cm. Colección privada

VASSILY KANDINSKI

VINCENT VAN GOGH

PABLO PICASSO

1840 Nacimiento de Piotr Chaikovski

1871 Las tropas alemanas ocupan París

1895 Primera exhibición
cinematográfica

1790-1840 ROMANTICISMO

IMPRESIONISMO 1860-1915

| 1815 | 1820 | 1825 | 1830 | 1835 | 1840 | 1845 | 1850 | 1855 | 1860 | 1865 | 1870 | 1875 | 1880 | 1885 | 1890 | 1895 | 1900 |

Improvisación 26 (Remeros), 1912.
Óleo sobre lienzo, 97,2 x 107,5 cm.
Galería Municipal Lenbachhaus, Munich

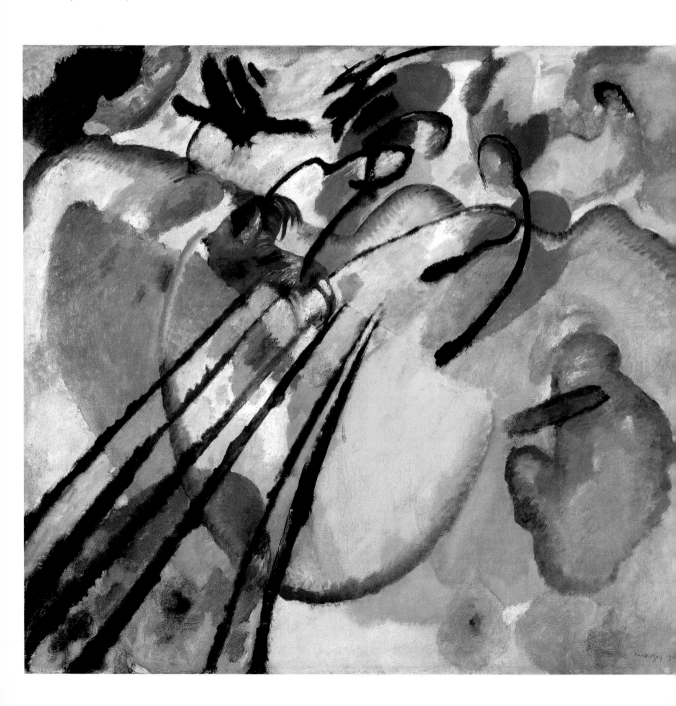

| 1905-1907 Creación de los grupos artísticos Die Brücke y Der Blaue Reiter | 1927 Charles Lindbergh sobrevuela el Atlántico | 1937 Exposición *Arte degenerado* en Munich |
| 1914-1918 Primera Guerra Mundial | 1933 Hitler se convierte en führer y canciller de Alemania | 1939-1945 Segunda Guerra Mundial |

1860-1915 IMPRESIONISMO   CUBISMO 1915-1920   EXPRESIONISMO 1920-1940   EXPRESIONISMO ABSTRACTO 1940-1960   POP-ART 1960-1975

1905 1910 1915 1920 1925 1930 1935 1940 1945 1950 1955 1960 1965 1970 1975 1980 1985 1990

VASSILY KANDINSKI

El pintor ruso Vassily Kandinski fue uno de los fundadores del grupo artístico muniqués Der Blaue Reiter. Convirtió el color y la forma en objetos autónomos del cuadro. De esta forma, modificó para siempre nuestra percepción del arte.

Cuando Kandinski rememoraba desde Munich su ciudad natal, Moscú, le venían a la mente sobre todo sus colores. «El sol funde todo Moscú en una mancha, casas e iglesias de color verde pistacho y rojo fuego, cada color una canción en sí misma.» Kandinski comentó en una ocasión que, en el recuerdo, el sol había fundido su ciudad natal convirtiéndola en una única mancha de color. Estas «manchas» aparecen a menudo en los cuadros del pintor.

La desaparición de los objetos

Kandinski se instaló en una casa de Murnau, población situada cerca de Munich, junto con la pintora Gabriele Münter, con quien también hizo numerosos viajes. El pueblo, con sus tejados rojos, la reluciente iglesia blanca y los verdes prados bajo un brillante cielo azul, parecía recordar al artista los colores de su infancia. Estos reaparecen de repente en los cuadros de Kandinski donde se animan con vida propia hasta que finalmente los objetos pierden todo significado en su obra. Las personas, las torres, los abetos, las montañas y las iglesias se sumergen en sus cuadros en un mar de amarillo, azul y rojo, en un puro «reino de color». Atrás quedan tonos y formas, que ya no recuerdan a la realidad.

A menudo, los títulos de los cuadros de Kandinski hacen referencia a los objetos que se pueden descubrir en ellos; por ejemplo: *Paisaje con torre* o *Policía*. En el cuadro *Improvisación 26 (Remeros)* se pueden reconocer, de forma esquemática, las dos figuras en el bote y las oscuras líneas de los largos remos, que parecen sumergirse en un mar de colores. Kandinski titulaba muchas de sus pinturas y acuarelas simplemente *Composición*, *Amarillo-rojo-azul* o *Pequeños mundos*; al fin y al cabo, tenían que ser pequeños mundos autónomos.

Pintor, escritor y profesor

Vassily Kandinski creaba composiciones (de hecho, muchos de sus cuadros se titulan *Composición*) a base de formas y colores: quería que «sonaran» armónica o dramáticamente como una pieza musical que provoca en nosotros un determinado sentimiento, aunque no con notas, sino con líneas, figuras geométricas o manchas. Esto supuso el nacimiento de la pintura abstracta. Lo que Kandinski se proponía con ello, lo describió en su libro *Sobre lo espiritual en el arte*.

Kandinski creó junto con Franz Marc la asociación artística Der Blaue Reiter (que significa literalmente 'el jinete azul') en Munich, a la que también pertenecieron Gabriele Münter, Alexei von Jawlenski y Paul Klee. Estos artistas pintaban el cuadro como cuadro, no como imagen de algo que existía realmente fuera del cuadro. Más tarde, siendo profesor de la Bauhaus, Kandinski inculcó sus propias ideas. Tras la clausura de la Bauhaus por el régimen nazi, que exhibió más tarde la pintura de Kandinski como «arte degenerado», el artista huyó a Francia y se instaló en Neuilly-sur-Seine, cerca de París.

1866 Vassily Kandinski nace el 4 de diciembre en Moscú.
1896 Decide hacerse artista y se traslada a Munich.
1909 Kandinski se instala con Gabriele Münter en Murnau.
1910 Pinta su primera acuarela abstracta.
1911 Funda con Franz Marc el grupo artístico Der Blaue Reiter.
1912 Se publica su escrito *Sobre lo espiritual en el arte*.
1922 Kandinski ejerce de profesor en la Bauhaus en Weimar y Dessau.
1928 Adquiere la nacionalidad alemana.
1937 Los nazis confiscan su obra por considerarla «arte degenerado».
1939 Kandinski obtiene la nacionalidad francesa.
1944 Muere el 13 de diciembre en Neuilly-sur-Seine.

PÁGINA WEB Y MUSEO RECOMENDADOS
Gracias a una donación de Gabriele Münter, la Galería Municipal Lenbachhaus, en Munich, posee una importante colección de las obras de Kandinski: www.lenbachhaus.de

[arriba]
Kandinski en la Ainmillerstraße, Munich, junio de 1913, fotografía

[izquierda]
Boceto para Mancha roja II, 1921. Acuarela sobre papel, 19,1 x 22,9 cm. Museo Palacio de Arte de Düsseldorf

HENRI MATISSE ━━━

VINCENT VAN GOGH ━━━━━━━━━━━━━━━━━━━━━━━━━━━━

PABLO PICASSO ━━━━━━━━━━━━━━━━━━━━━━━━━━━━━━

1887-1889 Construcción de la torre Eiffel en París

1790-1840 ROMANTICISMO   **IMPRESIONISMO 1860-1915**   **1860-1915 IMPRESIONISMO**

1825   1830   1835   1840   1845   1850   1855   1860   1865   1870   1875   1880   1885   1890   1895   1900   1905   1910

[arriba]
La danza, 1909-1910.
Óleo sobre lienzo, 260 x 391 cm.
Museo del Ermitage, San Petersburgo

[derecha]
La habitación roja (Armonía en rojo), 1908.
Óleo sobre lienzo, 180 x 220 cm.
Museo del Ermitage, San Petersburgo

1914-1918 Primera Guerra Mundial   1939-1945 Segunda Guerra Mundial   1955 Inicios del pop-art
                    1927 Charles Lindbergh sobrevuela el Atlántico   1969 Llegada a la Luna de astronautas estadounidenses
                    1937 *Guernica* (Picasso)   1945 Lanzamiento de bombas atómicas
                                                         sobre Hiroshima y Nagasaki

CUBISMO 1915-1920   EXPRESIONISMO 1920-1940   EXPRESIONISMO ABSTRACTO 1940-1960   POP-ART 1960-1975

1915   1920   1925   1930   1935   1940   1945   1950   1955   1960   1965   1970   1975   1980   1985   1990   1995   2000

HENRI MATISSE

En sus cuadros, dibujos, obras gráficas y esculturas de gran intensidad cromática, el artista francés Henri Matisse transformó el mundo visible en simples formas planas, llenas de ligereza y poesía. Fue uno de los principales representantes del arte moderno.

Siendo niño, Henri Matisse se puso una vez enfermo y tuvo que guardar cama. Su madre le regaló una caja de pinturas para que se entretuviera. La pasión por los colores puros, el rojo, el amarillo, el verde y el azul, nunca más abandonaría al artista. Los pintores del impresionismo habían pretendido plasmar la luz del sol en sus cuadros; Matisse quería que los colores brillaran por sí mismos. La importancia cromática también queda reflejada en su cuadro *La habitación roja (Armonía en rojo)*. En esta pintura, el color y el dibujo del papel pintado y del mantel son iguales y parecen adornos arbóreos que trepan sobre una superficie roja. La mujer está colocada en esta superficie con formas simples y las manos difuminadas, como un cuerpo extraño. A la izquierda del óleo hay una silla de enea, tal como la pintó el artista holandés Vincent van Gogh, cuyas pinturas de colores centelleantes impresionaron a Matisse.

Tahití en su casa

Un viaje a Tahití inspiró a Matisse muchas de sus pinturas. Al igual que un buzo espera en un banco de coral a los peces multicolores, así se encontraba el artista en la isla de Oceanía con su opalescente mundo submarino y los paños y telas de alegres colores de sus habitantes. Tanto le fascinó este esplendor, que durante un tiempo no pudo pintar nada, tan solo observar y maravillarse. Escribió en una ocasión: «Estos cuadros de colores vivos y llamativos cristalizaron a partir de recuerdos del circo, los cuentos populares y los viajes».

Más tarde, cuando tuvo que permanecer en cama tras una operación, Matisse se creó su propia Tahití privada. El mundo submarino de la isla y sus formas de medusas y corales surgieron en medio de su habitación en un antiguo hotel de la costa francesa. Era extremadamente imaginativo: desde la cama pintó las paredes con un pincel largo que se había fabricado él mismo, o pegaba en ellas siluetas multicolores.

Dibujar con la tijera

Cuando a Matisse se le entumecía el brazo de tanto pintar las altas paredes, dejaba el pincel a un lado y tomaba unas tijeras y papeles de colores para componer cuadros a base de recortes. De repente surgían flores y hojas, mujeres saltando a la comba y hombres nadando, estrellas de mar y algas de un mar de colores. Del mismo modo que un músico compone una melodía tono tras tono, Matisse componía cuadros a partir de sus formas. Movía de aquí para allá las formas circulares, angulosas, sinuosas y dentadas hasta conseguir un cuadro que le gustase. Publicó incluso sus recortes en forma de libro. El título de la obra es el nombre de un alegre estilo musical que entonces estaba en boga en Francia: *Jazz*.

1869 Henri Matisse nace el 31 de diciembre en Le Cateau-Cambrésis.
1890 Comienza a pintar postrado en cama tras una operación de apendicitis.
1898 Contrae matrimonio con Amélie Parayre, con quien tiene una hija. Más tarde nacieron dos hijos.
1905 Los fauvistas celebran su primera exposición en París.
1912 Matisse viaja a Marruecos.
1930 Se marcha a Tahití.
1936 Matisse descubre el recorte como forma artística.
1938 Se instala en una vivienda en el antiguo Hotel Regina, cerca de Niza.
1940 Amélie y Matisse se separan.
1954 Henri Matisse muere el 3 de noviembre en Niza.

PÁGINA WEB Y MUSEOS RECOMENDADOS
En su población natal, Le Cateau-Cambrésis, se halla el Museo Matisse. En Niza, no lejos de su última residencia en el Hotel Regina, se encuentra otro museo dedicado a Matisse: www.musee-matisse-nice.org

Fauvismo

Henri Matisse, André Derain y Maurice de Vlaminck expusieron sus novedosas pinturas en 1905 en París. Algunos visitantes de la exposición encontraron demasiado llamativos los multicolores cuadros de los tres artistas con sus colores estridentes y formas simplificadas. Uno de ellos opinó de manera sarcástica que parecía que los artistas pintaran como animales salvajes (en francés, *fauves*). Sin quererlo, dio nombre al estilo de los pintores: el fauvismo. Otros famosos fauvistas franceses fueron Georges Rouault y Georges Braque, quien inventó después, junto a Pablo Picasso, el cubismo.

[arriba]
Henri Matisse en Niza, 1953.
Fotografía de Hélène Adant

El papagayo y la sirena,
1952-1953. Papeles recortados,
pintados con *gouache*, 337 x 773 cm.
Museo Municipal de Amsterdam

PAUL KLEE

VASSILY KANDINSKI

PABLO PICASSO

1886 Primeros coches con
motor de gasolina

1905-1907 Creación de los grupos artísticos
Die Brücke y Der Blaue Reiter

1894 Finalización de la
construcción del
Reichstag de Berlín

1900 *La interpretación de los
sueños* (Sigmund Freud)

1790-1840 ROMANTICISMO

IMPRESIONISMO 1860-1915

1860-1915 IMPRESIONISMO

1825 1830 1835 1840 1845 1850 1855 1860 1865 1870 1875 1880 1885 1890 1895 1900 1905 1910

La máquina de trinar, 1922,
151. Dibujo al óleo y acuarela
sobre papel y cartón,
41,3 x 30,5 cm. Museum
of Modern Art (MoMA),
Nueva York, Mrs. John D.
Rockefeller Jr. Purchase
Fund

1914-1918 Primera Guerra Mundial	1939-1945 Segunda Guerra Mundial 1933 Hitler se convierte en führer y canciller de Alemania 1937 Exposición *Arte degenerado* en Munich	1960 John F. Kennedy, presidente de Estados Unidos

CUBISMO 1915-1920   EXPRESIONISMO 1920-1940   EXPRESIONISMO ABSTRACTO 1940-1960   POP-ART 1960-1975

1915   1920   1925   1930   1935   1940   1945   1950   1955   1960   1965   1970   1975   1980   1985   1990   1995   2000

PAUL KLEE

Después de haber descubierto los colores de África, el pintor y dibujante suizo Paul Klee compuso un mundo alegre muy peculiar con el «teclado de colores» de su paleta y botes de acuarelas. Klee es considerado un importante representante de la Bauhaus y del arte abstracto.

Paul Klee, hijo de un profesor de música y una cantante, aprendió a tocar el violín desde niño, pero en su familia había también muchos pintores, de los que había heredado su talento para dibujar. Cuando se aburría en clase, garabateaba imágenes de cuentos en su cuaderno. Y no solo esto, pues además era un poeta de talento. Más tarde, Klee se decidió por la pintura y se trasladó a Munich, donde se integró en el círculo del grupo de artistas Der Blaue Reiter (que significa literalmente 'el jinete azul'). Sin embargo, no dejó del todo la poesía y continuó igualmente con la música, mundo en el que conoció a su mujer, que era pianista. Más tarde, Klee formaría parte incluso de la Orquesta Municipal de Berna.

Viaje a África

Se puede decir que Paul Klee, incluso como dibujante, siguió siendo una especie de músico. Quería mover el pincel y la pluma sobre sus cuadros como en una melodía. En 1920, cuando Klee era ya un artista muy solicitado y daba clases en la Escuela de Artes y Oficios de la Bauhaus en Weimar, dijo en una ocasión que la línea pintada en un cuadro tenía que dar un «paseo» deambulando sin rumbo sobre el papel. Poco antes del estallido de la Primera Guerra Mundial, Klee viajó con sus amigos pintores August Macke y Louis Moilliet a Túnez. El paisaje norteafricano, con sus beduinos, camellos y palmeras, le pareció un mundo nuevo y enigmático, como el de un cuento de *Las mil y una noches*: variopintos bazares con exquisitos aromas, casas coronadas por cúpulas y personas vestidas con suntuosas prendas.

El descubrimiento del color

Klee, que antes había creado cuadros con líneas y pinceladas en blanco y negro, descubrió el color en África. «El bosquecillo es un hermoso ritmo de manchas», anotó en su diario, y en sus acuarelas quiso reproducir ese ritmo. De la misma forma que antes había compuesto dibujando líneas, ahora componía con la ayuda de sus acuarelas.

Tras este viaje, el color no abandonó a Klee, ni siquiera durante su etapa de soldado durante la Primera Guerra Mundial. Por ese motivo escribió: «Estoy poseído por el color, no necesito intentar atraparlo. Me posee para siempre, lo sé. Este es el sentido de este momento feliz: el color y yo somos uno. Soy pintor».

En sus cuadros siempre creó nuevos mundos, la mayoría alegres, con brillantes peces transparentes, extrañas selvas, figuras danzarinas compuestas de líneas, misteriosas plantas y sílfides, barcos, casas y animales. Todos forman parte de la colorida orquesta de Klee, que no está formada por violines, timbales y trompetas, sino por cuadrados, triángulos, flechas y círculos. En el óleo *La máquina de trinar*, cuatro pajaritos trinan sobre la barra a pleno pulmón. Los animales están sentados sobre una manivela, como si hubiera que darle vueltas para que sonara la música.

Klee pintó al final de su vida cuadros de gran formato, muchas veces con pocas rayas y un pincel ancho, como una nueva notación musical.

1879 Paul Klee nace el 18 de diciembre en Münchenbuchsee, cerca de Berna.
1898 Se traslada a Munich, donde estudia arte.
1903 Klee elabora el primer aguafuerte.
1911 Muestra sus cuadros en las salas de Der Blaue Reiter.
1914 Viaja con sus amigos pintores August Macke y Louis Moilliet a Túnez.
1917 Klee es llamado a filas.
1920 Obtiene un puesto de profesor en la Bauhaus.
1924 En Nueva York, se organiza una exposición con sus cuadros.
1937 En la exposición nazi *Arte degenerado*, en Munich, se exhiben 17 obras de Klee.
1940 Paul Klee muere el 29 de junio en Locarno-Muralto.

PÁGINA WEB Y MUSEO RECOMENDADOS
En la ciudad natal del artista, el Centro Paul Klee se dedica a la presentación e interpretación de su obra:
www.paulkleezentrum.ch

[arriba]
Paul Klee con su gato Bimbo, Berna 1935, fotografía. Centro Paul Klee, Berna, donación

[página derecha]
Jardín de rosas, 1920, 44.
Óleo y pluma sobre papel y cartón,
49 x 42,5 cm. Galería Municipal
Lenbachhaus, Munich, Galería
Municipal y Fundación Gabriele
Münter y Johannes Eichner

[derecha]
Hammamet con mezquita, 1914, 199.
Acuarela y lápiz sobre papel y cartón,
20,6 x 19,4 cm. Metropolitan Museum of
Art, Nueva York, Colección Berggruen

[abajo]
Paisaje con pájaros amarillos, 1923, 32.
Acuarela y tiza sobre imprimación
en papel y cartón, 35,5 x 44 cm.
Propiedad privada, Suiza

1886 Primeros coches con
motor de gasolina

1914-1918 Primera
Guerra Mundial

IMPRESIONISMO 1860-1915

1860-1915 IMPRESIONISMO   CUBISMO 1915-192

| 1835 | 1840 | 1845 | 1850 | 1855 | 1860 | 1865 | 1870 | 1875 | 1880 | 1885 | 1890 | 1895 | 1900 | 1905 | 1910 | 1915 | 1920 |

Las señoritas de Aviñón, 1907.
Óleo sobre lienzo, 243,9 x 233,7 cm.
Museum of Modern Art (MoMA),
Nueva York

1939-1945 Segunda Guerra Mundial
1945 Lanzamiento de bombas atómicas sobre Hiroshima y Nagasaki
1955 Inicios del pop-art

1960 John F. Kennedy, presidente de Estados Unidos
1964 Estados Unidos interviene en la guerra de Vietnam
1969 Llegada a la Luna de astronautas estadounidenses

1981 Primer vuelo del transbordador espacial Columbia
1990 Reunificación de Alemania

EXPRESIONISMO 1920-1940   EXPRESIONISMO ABSTRACTO 1940-1960   POP-ART 1960-1975

1925 1930 1935 1940 1945 1950 1955 1960 1965 1970 1975 1980 1985 1990 1995 2000 2005 2010

PABLO PICASSO

Pablo Picasso pintaba desde muy joven con gran maestría. Su padre, profesor de dibujo y pintor de animales, estaba entusiasmado con el realismo y la perfección de las pinturas de Pablo. A este, sin embargo, le parecerían posteriormente más bien horribles. Picasso aun tenía que aprender a dibujar sin prejuicios como suelen hacer los niños: «Se necesita mucho tiempo para llegar a ser joven».

Picasso quería dibujar incluso un simple gallo de una manera totalmente nueva, diferente de la de los artistas de su época, que estaban consagrados al realismo. «Siempre ha habido gallos. Lo que importa es descubrirlos, igual que el resto de las cosas.» El arte de Picasso se puede entender como un intento constante de descubrir de nuevo la vida, los animales, las personas y las cosas sencillas.

Representar la vida sencilla de manera insólita significaba para Picasso, en un primer momento, mostrar la vida de los pobres, de los mendigos y artistas de circo en tonos azules tristes y rosas; por esta razón esas etapas creativas han recibido el nombre de *época azul* y *época rosa*. Por aquel entonces, el mismo Picasso tenía tan poco dinero que en ocasiones tuvo que alimentar la estufa con sus pinturas y dibujos para calentar su estudio parisino.

Nace el cubismo

Descubrir el mundo para el artista implicaba captarlo en sus pinturas de una manera novedosa. En su obra *Las señoritas de Aviñón*, las cinco mujeres representadas han quedado reducidas a formas y colores sencillos. La cara de la mujer que está sentada en la parte inferior derecha se puede ver a la vez en perspectiva frontal y de perfil. Picasso descomponía progresivamente los objetos sobre el lienzo en diferentes formas geométricas: triángulos, círculos y cubos. Esta es la razón de que este tipo de representación creada por Picasso en colaboración con su amigo Georges Braque, en París, recibiera el nombre de *cubismo*. Pero muy pronto, Picasso empezó a buscar otra nueva forma de pintura.

Mujeriego y padre

Aunque era caprichoso y autoritario, Picasso rompió bastantes corazones. Hizo innumerables retratos de sus esposas y amantes, cada vez en estilos nuevos: Picasso era un trabajador infatigable y además tenía mucha fantasía. Sobre todo pintó a su compañera Marie-Thérèse Walter, a la fotógrafa Dora Maar y a su última esposa Jacqueline Rocque. La mayoría de las veces, Picasso intentaba captar estados de ánimo. Pintaba a las mujeres tal como él las veía: unas veces tristes y llorando, otras enfadadas y gritando, y otras tranquilas y absortas en un libro. Las componía a partir de formas y colores.

Picasso tuvo cuatro hijos: Paolo, Maya, Claude y Paloma. La paloma, junto con otros animales, desempeñó un papel muy importante en las obras de Picasso. En 1949, el año en que nació Paloma, dibujó su famoso cartel con una paloma como símbolo de la paz. Picasso odiaba la guerra. Uno de sus cuadros más conocidos, el *Guernica*, es una denuncia sobrecogedora de la destrucción y la aniquilación bélicas. El motivo de su obra fue el bombardeo de la pequeña ciudad de Guernica por la aviación alemana durante la guerra civil española.

Cubismo

Desde el Renacimiento, todos los artistas habían intentado, con ayuda de la perspectiva central, crear sobre el lienzo la ilusión de profundidad. Hacia 1907, Pablo Picasso y Georges Braque rompieron totalmente con esta idea en París. Subrayaban precisamente la bidimensionalidad de sus pinturas, y en sus retratos y naturalezas muertas descomponían las caras, los instrumentos de música, los jarrones y las arquitecturas representadas en simples círculos, triángulos y cuadrados planos. Estos cuadrados (cubos) fueron los que dieron nombre a esta corriente artística.

Paul Cézanne había iniciado también una técnica similar, pero estos artistas jóvenes eran más radicales que él. El cubismo temprano recibe el calificativo de *analítico* (que descompone). Posteriormente, nació el cubismo sintético (que compone), que unía formas geométricas creando nuevas figuras. Otros cubistas famosos fueron Robert Delaunay, Juan Gris, Fernand Léger y Marcel Duchamp.

1881 Pablo Picasso nace el 25 de octubre en Málaga.
1901 Inicio de la época azul.
1904 Inicio de la época rosa.
1907 Junto con Georges Braque desarrolla el cubismo.
1918 Picasso se casa con la bailarina Olga Koklowa.
1921 Nace su hijo Paolo.
1927 Conoce a Marie-Thérèse Walter y se separa de Olga.
1935 Nace su hija Maya.
1936 Dora Maar se convierte en la amante de Picasso.
1946 Françoise Gilot se convierte en pareja de Picasso. Con ella tendrá dos hijos: Claude y Paloma.
1953 Picasso conoce a Jacqueline Rocque, con quien se casa en 1961.
1973 Picasso muere el 8 de abril en Mougins, cerca de Cannes.

MUSEOS RECOMENDADOS
El Museo Ludwig de Colonia alberga una importante colección de Picasso. El Museo Picasso de Barcelona posee una amplia colección de las obras tempranas del artista. El Museo Picasso de Lucerna presenta sobre todo obras tardías. Otras colecciones importantes se encuentran en el Museo Picasso de París y en la ciudad natal del artista. En Münster (Alemania) se ha dispuesto un centro específicamente para gráficos del artista.

[arriba]
Pablo Picasso, fotografía

Arte para niños

Picasso también construía y pintaba muñecas para sus hijos. Así, por ejemplo, con dos coches que el comerciante de objetos de arte Henry Kahnweiler había regalado a su hijo Claude, Picasso construyó algo nuevo: los coches le recordaban la cabeza de un papión y así, con algunas tapas, jarros, la bisagra de una puerta, una pelota de tenis de mesa y otros objetos diversos compuso la escultura de una mona para su hijo. En otra ocasión, dos tenedores deformados se convirtieron en garras de grulla o un sillín y el manillar de una bicicleta en un toro. En 1950, Picasso con esos *objets trouvés* construyó una cabra gruesa. Tal vez se inspiró en su cabra Esmeralda, que vivía junto con varios perros, gatos, palomas y burros en el enorme jardín de su casa en el sur de Francia.

Además de esas *assemblages*, esculturas compuestas a partir de diversos objetos, a Picasso también le gustaba pintar a sus hijos Claude y Paloma mientras ellos pintaban a su vez. En estas obras se constata lo mucho que admiraba la fantasía infantil. Él mismo fue uno de los artistas más ingeniosos y caprichosos del mundo; continuamente ideaba nuevos estilos y ejerció una gran influencia en otros muchos artistas. Con sus pinturas, esculturas, dibujos, grabados, cerámicas, *collages* y litografías ha marcado un nuevo rumbo al arte.

Guernica, 1937.
Óleo sobre lienzo, 351 x 782 cm.
Centro de Arte Reina Sofía, Madrid

[página derecha]
Jacqueline con las manos cruzadas, 1954.
Óleo sobre lienzo, 116 x 88,5 cm.
Museo Picasso, París

EDWARD HOPPER ══════════════════

PABLO PICASSO ══════════════════

JACKSON POLLOCK ══════════

1861-1865 Guerra de Secesión estadounidense   **1891** Fin de las guerras con los indios en Estados Unidos

1883 Primeros rascacielos en Chicago

1914-1918 Primera
Guerra Mundial

IMPRESIONISMO 1860-1915   1860-1915 IMPRESIONISMO   CUBISMO 1915-1920

| 1835 | 1840 | 1845 | 1850 | 1855 | 1860 | 1865 | 1870 | 1875 | 1880 | 1885 | 1890 | 1895 | 1900 | 1905 | 1910 | 1915 | 1920 |

[abajo]
Colina con faro, 1927.
Óleo sobre lienzo, 73,8 x 102,2 cm.
Museo de Arte de Dallas, Texas

[página derecha abajo]
Oficina de noche, 1940.
Óleo sobre lienzo, 56,4 x 64 cm.
Centro de Arte Walker, Minneapolis,
donación de la T.B. Walker Foundation,
Gilbert M. Walker Fund, 1948

1939-1945 Segunda Guerra Mundial   **1963** Asesinato de John F. Kennedy

1945 Lanzamiento de bombas atómicas sobre Hiroshima y Nagasaki

1950 Abolición de la segregación racial en Estados Unidos   **1981** Primer vuelo del transbordador espacial Columbia

1952 Elvis Presley salta a la fama

EXPRESIONISMO 1920-1940   EXPRESIONISMO ABSTRACTO 1940-1960   POP-ART 1960-1975

1925 1930 1935 1940 1945 1950 1955 1960 1965 1970 1975 1980 1985 1990 1995 2000 2005 2010

EDWARD HOPPER

El pintor estadounidense Edward Hopper era algo así como el pintor de la soledad. Sus pinturas de personas en habitaciones de hotel, oficinas y bares nocturnos parecen instantáneas de la vida cotidiana norteamericana. Hopper fue uno de los pintores estadounidenses más importantes del siglo XX. Influyó sobre todo en los representantes del fotorrealismo.

Hopper vivió prácticamente toda su vida en el mismo estudio de Nueva York. Durante más de cincuenta años estuvo allí sentado delante de un lienzo, hasta el día de su muerte. Cuando conoció a su mujer, Jo, que también era pintora, le compró un estudio en el mismo edificio. Cada año, ambos pasaban sus vacaciones en la península de Cape Cod en la que Hopper hizo construir una casa de vacaciones con estudio. Al parecer, no era muy aficionado a los cambios.

La vida cotidiana en Nueva York

Lo que más le gustaba a Hopper era recorrer Nueva York, tanto a pie como con los trenes elevados. Desde allí podía mirar dentro de las viviendas, los comercios o por las ventanas de los hoteles en busca de inspiración. Una noche pudo ver el interior de una oficina iluminada desde el tren elevado durante unas décimas de segundo. Poco después pintó *Oficina de noche*, que recuerda a una de esas escenas misteriosas de una película policíaca. Para Hopper, tenía gran importancia la representación de la luz eléctrica, que en esta obra llega de la lámpara del techo, de la que está sobre la mesa y también del exterior. Al igual que los artistas del impresionismo, cuyas obras había conocido en París, Hopper quería captar y reproducir las múltiples facetas de la luz, aunque de manera diferente y variada: no diluida en manchas de color brillantes y pintada al aire libre, sino de forma realista.

Hopper quiso capturar las luces nocturnas de la gran ciudad, la vida cotidiana estadounidense que le fascinaba: con sus hoteles, cafés nocturnos, salas de espera y restaurantes de comida rápida, sus casas de madera, enormes puentes, faros y trenes. Tal vez Hopper sea el primer artista que dibujó algo tan corriente como una gasolinera. En aquellos años no era tan habitual en Estados Unidos; fueron los artistas del pop-art, como Andy Warhol, los que, años más tarde, representaron los objetos de la vida cotidiana en sus obras. Pero por muy extraño que resulte, hay una cosa que no aparece en las obras de Hopper: los rascacielos tan típicos de Nueva York.

Película muda en el escenario de la gran ciudad

Muchas de las obras de Hopper parecen escenas iluminadas por la luz intensa de los focos de una obra de teatro cuya acción transcurre en medio de la calle, en un bar o en la habitación de un hotel. Y efectivamente, Jo, la mujer de Hopper, aparece en sus pinturas representando diferentes papeles, como si de una actriz se tratara: de secretaria, de desconocida en el vestíbulo de un hotel, de acomodadora de un cine que, cansada, se apoya en la pared debajo de una lámpara. Pero al contrario que en el teatro, los personajes de las obras de Hopper no hablan. Aunque estén sentados en un restaurante, como en la obra *Los halcones de la noche*, parecen ensimismados. La representación de la soledad, tal como la viven a veces las personas de la gran ciudad, era tal vez aún más importante para Hopper que la de la luz.

1882 Edward Hopper nace el 22 de julio en Nyack (Nueva York).

1900-1906 Estudios de grafismo e ilustración en la New York School of Art.

1906 Viaja por primera vez a París para estudiar pintura.

1913 Hopper se muda a su estudio de Nueva York, donde vivirá hasta su muerte.

1920 Adquiere fama gracias a su primera exposición en el Whitney Studio Club.

1924 Se casa con la pintora Josephine (Jo) Verstile Nivison.

1925 Viaja por Colorado y Nuevo México.

1933 Una gran exposición en el célebre Museum of Modern Art (MoMA) de Nueva York presenta una sinopsis de su obra.

1934 Finaliza la construcción de su vivienda y estudio, que él mismo ha diseñado, en la península de Cape Cod.

1952 Hopper expone en la Bienal de Venecia.

1967 Edward Hopper fallece el 15 de mayo en Nueva York.

MUSEO RECOMENDADO

En el Museo de Arte Americano Whitney de Nueva York se conservan numerosas obras de Edward Hopper, legadas por su esposa: www.whitney.org

[arriba]
Edward Hopper en Cape Elizabeth, Maine, 1927. Fotografía, colección privada

Los halcones de la noche, 1942.
Óleo sobre lienzo, 84,1 x 152,4 cm.
Instituto de Arte de Chicago

MAX BECKMANN

PABLO PICASSO

MAX ERNST

1886 Primeros coches con motor de gasolina

1905-1907 Creación de los grupos artísticos Die Brücke y Der Blaue Reiter

1894 Finalización de la construcción del Reichstag de Berlín

1914-1918 Primera Guerra Mundial

IMPRESIONISMO 1860-1915

1860-1915 IMPRESIONISMO   CUBISMO 1915-1920

1835 1840 1845 1850 1855 1860 1865 1870 1875 1880 1885 1890 1895 1900 1905 1910 1915 1920

Los argonautas, 1949-1950.
Óleo sobre lienzo, cada lateral 189 x 84 cm,
parte central 203 x 122 cm. Galería Nacional
de Arte de Washington D.C.

1933 Hitler se convierte en führer y canciller de Alemania   1960 John F. Kennedy, presidente de Estados Unidos

1937 *Guernica* (Picasso)
1937 Exposición *Arte degenerado* en Munich   1981 Primer vuelo del transbordador espacial Columbia
1939-1945 Segunda Guerra Mundial

EXPRESIONISMO 1920-1940   EXPRESIONISMO ABSTRACTO 1940-1960   POP-ART 1960-1975

1925   1930   1935   1940   1945   1950   1955   1960   1965   1970   1975   1980   1985   1990   1995   2000   2005   2010

MAX BECKMANN

Mientras sus colegas buscaban nuevas formas y técnicas con el fin de adaptarse a la modernidad, el pintor alemán Max Beckmann experimentaba con todos los medios tradicionales de la pintura, tal y como se conocían desde la Edad Media. A pesar de ello, desarrolló un lenguaje propio y particular con su arte, que le convirtió en uno de los pintores y grafistas más importantes de su época.

Beckmann se representó a sí mismo una y otra vez en sus autorretratos con aspecto huraño y furibundo, aunque estuviera disfrazado de payaso. El pintor opinaba que en esos cuadros se podía mirar dentro de su alma. La crueldad de la Primera Guerra Mundial, que él presenció en calidad de soldado del servicio sanitario y que inmortalizó en sus dibujos, marcaría su visión del mundo.

Éxito en toda la línea

Desde muy pronto, el talento de Beckmann quedó fuera de toda duda. En Dresde y Berlín pintó escenas de la Biblia que mostraban a personas atormentadas, pero también paisajes urbanos con puentes y casas. En las obras de los años anteriores a la guerra, el pintor se mostraba seguro de sí mismo y satisfecho en un elegante traje de etiqueta o con esmoquin y un cigarrillo en la mano. En las recepciones y fiestas era un invitado bienvenido.

En 1925, Beckmann fue nombrado profesor de pintura de la famosa escuela Städelschule de Frankfurt. Era un profesor estricto que concedía gran valor al estudio de viejos maestros como Rembrandt, Rubens, Vermeer o Frans Hals. Se dice que sus colegas le envidiaban por su talento y que los jóvenes estudiantes le tenían miedo. En una de las clases

que impartía había un único alumno, tal era el temor que los estudiantes sentían ante los juicios de Beckmann.

En el exilio americano

Las obras críticas de Beckmann no eran bien vistas por los nazis. Tuvo que abandonar la Städelschule y sus obras fueron retiradas de los museos. El pintor se trasladó con su esposa a Ámsterdam y después a Estados Unidos, donde de nuevo trabajó como profesor. Nunca regresó a Alemania. Poco antes de su muerte, en Estados Unidos se organizó una gran retrospectiva con sus pinturas y gráficos.

En Norteamérica, Beckmann pintó algunos de sus gigantescos trípticos. En ellos, el artista asocia conocidas leyendas con experiencias personales, convirtiéndolos en obras sobre la furia destructiva de los hombres, su ceguera y su sufrimiento. La obra *Los argonautas* cuenta la historia de aquellos navegantes heroicos de la mitología griega que parten en busca del vellocino de oro. Beckmann adoraba el mar y, una y otra vez, representaba el océano o a los marineros. En este tríptico comparó la leyenda de los argonautas con el destino de los artistas que se vieron obligados a emigrar a Estados Unidos huyendo de la Alemania de Hitler.

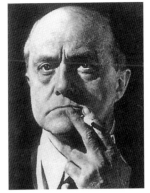

1884 Max Beckmann nace el 12 de febrero en Leipzig.
1903 Tras finalizar sus estudios de arte en Weimar se integra en Berlín en la Sezession.
1913 Sus obras se presentan por primera vez en Estados Unidos.
1914 En la Primera Guerra Mundial se presenta voluntario como ayudante sanitario.
1925 Beckmann es nombrado profesor en la Städelschule de Frankfurt.
1925 Se casa con Mathilde Kaulbach, a quien llama *Quappi*.
1933 Denostado como «artista degenerado», los nazis le despiden de la Städelschule.
1937 Se marcha a Ámsterdam.
1947 Beckmann emigra a Estados Unidos.
1950 Fallece el 27 de diciembre en Nueva York.

PÁGINA WEB Y MUSEO RECOMENDADOS
El Museo de Arte de Saint Louis en Missouri posee una importante colección de obras de Beckmann: www.stlouis.art.museum

[arriba]
Max Beckmann, fotografía

[izquierda]
La sinagoga, 1919. Óleo sobre lienzo, 89 x 140 cm. Galería Municipal del Instituto de Arte Städel, Frankfurt

MARC CHAGALL ═══════════════════════════════
PABLO PICASSO ════════════════════════════
MAX ERNST ═════════════════════════════════

1887-1889 Construcción de
la torre Eiffel en París

1914-1918 Primera
Guerra Mundial

IMPRESIONISMO 1860-1915

1860-1915 IMPRESIONISMO   CUBISMO 1915-1920

1835   1840   1845   1850   1855   1860   1865   1870   1875   1880   1885   1890   1895   1900   1905   1910   1915   1920

Yo y el pueblo, 1911.
Óleo sobre lienzo, 192,1 x 151,4 cm.
Museum of Modern Art (MoMA),
Nueva York

1933 Hitler se convierte en führer y canciller de Alemania
1937 Exposición *Arte degenerado* en Munich
1939-1945 Segunda Guerra Mundial

1961 Construcción del muro de Berlín
1962 Crisis de los misiles en Cuba
1973 Primera crisis del petróleo

1991 Disolución de la Unión Soviética

EXPRESIONISMO 1920-1940   EXPRESIONISMO ABSTRACTO 1940-1960   POP-ART 1960-1975

1925 1930 1935 1940 1945 1950 1955 1960 1965 1970 1975 1980 1985 1990 1995 2000 2005 2010

MARC CHAGALL

El pintor, grafista y vitralista francés Marc Chagall representó con gran profusión de color el arte popular, los cuentos y la vida de los judíos en su Rusia natal, que dieron lugar a cuadros encantados.

El padre de Chagall se dedicaba a vender arenques, pero Chagall quería encontrar una ocupación que se adecuara a sus delicadas manos. Un trabajo «que no me obligue a depender del cielo y las estrellas, y que me permita encontrar el sentido de la vida». Quería ser pintor.

Una vez tomada esta decisión, de pronto el mundo judío de Witebsk, su ciudad natal, se le quedó pequeño y, además, le resultaba extraño. Chagall se trasladó al lugar donde vivían los artistas importantes: a París. Al ver las obras de Vincent van Gogh, tan llenas de color, y las pinturas de los cubistas, quiso aprender a pintar. Al igual que muchos de sus colegas, se instaló en un estudio pequeño y sucio cerca de los mataderos de París, donde vivió con muchas privaciones.

De regreso a casa

Regresar a su amada Witebsk era impensable, así que Chagall se llevó su tierra a París. En la pintura *Yo y el pueblo* representó Witebsk tal y como él se lo imaginaba en sus sueños desde París: con personas y animales que vivían en armonía. En colores suaves y con líneas sencillas pintó campesinos felices, cabras, vacas y árboles en flor.

Pero, finalmente, Chagall sí volvió a Witebsk. Tras la Revolución rusa fue nombrado comisario de Bellas Artes. Se casó con Bella, su amor de juventud. «Simplemente abrí la ventana —escribió Chagall—, y el cielo azul, el amor y las flores entraron a raudales.» Sus obras de entonces, pintadas en colores luminosos, están repletas de parejas besándose en el séptimo cielo.

En ocasiones, Chagall bajaba su mirada de las estrellas y se detenía en la lúgubre realidad que era la vida sobre la Tierra. Durante la Segunda Guerra Mundial, el pintor judío tuvo que huir a Estados Unidpos para escapar de las tropas alemanas. En esa época, pintó casas en llamas envueltas en humo negro o judíos huyendo de la destrucción en barcos con rumbo a lo desconocido. En 1944 murió su mujer y Chagall dejó de pintar.

El segundo gran amor

Chagall regresó a Francia después de la guerra. Se enamoró de la rusa Valentina Brodsky y se reencontró con la liviandad de sus obras. También recuperó la fe en Dios, que había perdido debido a los duros golpes del destino. Pintó maravillosos vitrales para numerosas iglesias, donde ensalza la Creación divina en vivos colores.

Con sus delicadas manos, pintó vacas verdes, ángeles rojos, pintores soñadores, acróbatas flotando en el aire, mujeres cabalgando sobre gallos, parejas enamoradas fundidas en un abrazo. «Cuando Chagall pinta —comentó una vez Picasso—, no se sabe si está durmiendo o despierto. En algún lugar de su cabeza debe de tener un ángel.» Chagall creyó haber encontrado el sentido de la vida sobre el lienzo. Y también en el amor por Bella y Valentina.

1887 Marc Chagall nace el 7 de julio en Liosno, cerca de Witebsk.
1910 Chagall se traslada a París.
1915 Se casa con Bella Rosenfeld y regresa a Rusia.
1917 En Rusia funda una escuela de arte moderno.
1921 Chagall imparte clases a huérfanos de guerra en Moscú.
1922 La familia se muda a Berlín y un año más tarde a París.
1937 Las obras de Chagall se presentan en la exposición *Arte degenerado*.
1941-1947 Chagall vive en Estados Unidos.
1944 Fallece Bella.
1952 Chagall se casa con su segundo amor, Valentina Brodsky.
1985 Marc Chagall muere el 28 de marzo en Saint-Paul-de-Vence.

PÁGINA WEB Y MUSEO RECOMENDADOS
En Niza se expone, en un museo dedicado al ciclo *Mensaje bíblico*, esta parte de la obra de Marc Chagall: www.musee-chagall.fr

[arriba]
Marc Chagall. Fotografía de Franz Hubmann

Los enamorados, 1963.
Gouache sobre papel, 52 x 50 cm.
Colección Marcus Diener, Basilea

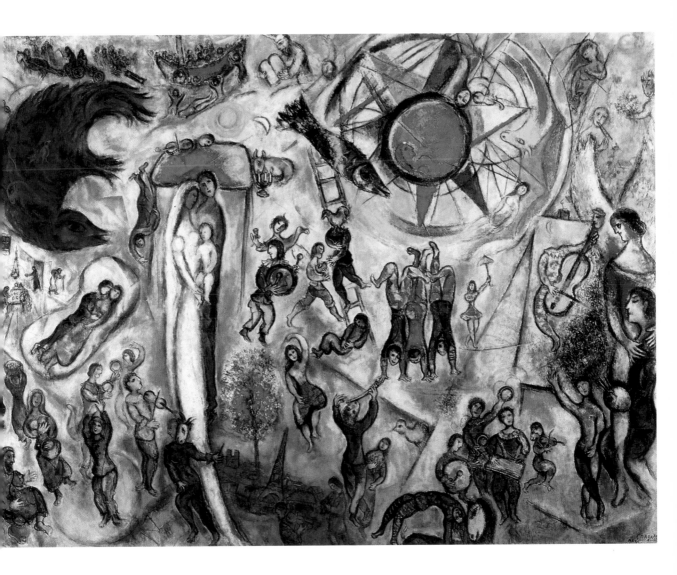

La vida, 1964. Óleo sobre lienzo, 296 x 406 cm. Fundación Marguerite et Aimé Maeght, Saint-Paul

1887-1889 Construcción de
la torre Eiffel en París

1910 Manifiesto futurista en Italia

1895 Primeras proyecciones
cinematográficas

1914-1918 Primera
Guerra Mundial

IMPRESIONISMO 1860-1915

1860-1915 IMPRESIONISMO   CUBISMO 1915-1920

| 1840 | 1845 | 1850 | 1855 | 1860 | 1865 | 1870 | 1875 | 1880 | 1885 | 1890 | 1895 | 1900 | 1905 | 1910 | 1915 | 1920 | 1925 |

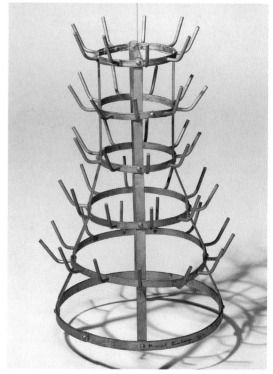

[arriba]
La gran caja, 1931-1958. Maleta de piel
con réplicas en miniatura, fotografías
y otras reproducciones en color,
40,7 x 38,1 x 10,2 cm

[abajo izquierda]
En previsión de un brazo roto, 1915
(réplica). Pala de nieve en madera
y chapa galvanizada, altura 121,3 cm

[abajo derecha]
Secador de botellas, 1914 (réplica de 1964).
Ready-made: secador de botellas de
hierro galvanizado, altura 64,2 cm.
Museo Nacional de Arte Moderno,
Centro Georges Pompidou, París

1931 *La persistencia de la memoria* (Salvador Dalí)

1955 Inicios del pop-art

1986 Catástrofe en la central nuclear de Chernóbil

1939-1945 Segunda Guerra Mundial

1969 Llegada a la Luna de astronautas estadounidenses

1990 Reunificación de Alemania

EXPRESIONISMO 1920-1940   EXPRESIONISMO ABSTRACTO 1940-1960   POP-ART 1960-1975

1930   1935   1940   1945   1950   1955   1960   1965   1970   1975   1980   1985   1990   1995   2000   2005   2010   2015

MARCEL DUCHAMP

Desde que el artista francoamericano Marcel Duchamp firmara una pala de nieve y declarara que se trataba de arte, lo que cuenta es la idea, no el talento artístico. Duchamp está considerado precursor del dadá en Nueva York y padre del arte objetual, del que más tarde surgiría el arte conceptual.

A Marcel Duchamp le encantaba jugar (por ejemplo, al tenis o al ajedrez), pero sobre todo le gustaba jugar con las expectativas de las personas. En Nueva York compró una pala de nieve en unos grandes almacenes y escribió su nombre a modo de firma sobre la hoja metálica. Al lado de la firma escribió «En previsión de un brazo roto»; al fin y al cabo, con el hielo y la nieve es fácil romperse un brazo. Y así fue como la pala de nieve dejó de ser un objeto corriente comprado en una tienda para convertirse en una obra de arte inconfundible.

Hallazgos perfeccionados

Más tarde, Duchamp llamó a ese tipo de objetos de los grandes almacenes *ready-mades*. Los objetos se convertían en arte porque los elegía y los declaraba obra suya. Algunas veces realizaba pequeñas modificaciones. Pero el escándalo estuvo servido cuando Duchamp, al que gustaba firmar con seudónimo y solía utilizar el de *Rrose Sélavy*, firmó un urinario y lo tituló *La fuente* porque le recordaba las pequeñas fuentes de agua que había en las oficinas de Nueva York. Un objeto como ese debería estar en el escaparate de una tienda de aparatos sanitarios, pero ¿en un museo? De ninguna manera.

Al principio, los únicos que se entusiasmaron por las ideas de Duchamp fueron los dadaístas y los surrealistas. Sin embargo, cuando la indignación se calmó, cada vez fueron más las personas que comprendieron lo que pretendía mostrar el artista. En un museo o en una exposición es cuando se aprecia la elegancia de las formas de un simple urinario, mientras que en unos servicios públicos para caballeros no se repara en su verdadera belleza. Allí simplemente cumple su función.

Desde entonces, el artista convirtió cada vez más objetos cotidianos en *ready-mades*. Nada estaba a salvo, ni una ampolla de la farmacia ni un gorro de baño. A medida que pasaban los años, realizó pequeñas copias de sus pinturas, dibujos, *collages* y *ready-mades* de manera que cupieran en una maleta. Quería crear una especie de museo portátil. *La caja en la maleta* estuvo tan codiciada por los coleccionistas que Duchamp se pasó los veinte años siguientes realizando nuevos ejemplares, naturalmente con nuevas miniaturas de sus otras obras. De esa forma consiguió de paso que las copias, al igual que los objetos cotidianos, puedan ser actualmente obras de arte. Simplemente hay que declarar que lo son.

Mona Lisa con bigote

En una postal con la imagen de la Mona Lisa de Leonardo da Vinci, Duchamp, ni corto ni perezoso, dibujó un bigote con las puntas torcidas hacia arriba a la dama de la misteriosa sonrisa. De esa manera, la Mona Lisa se convirtió en obra suya porque él, Duchamp, la había modificado. Cuando una vez tropezó con los ganchos metálicos de un perchero que estaba en el suelo, los clavó allí mismo en el suelo y lo llamó *Trébuchet* (trampa). Los títulos enigmáticos y las frases eran muy importantes para Duchamp. En su lápida figura en francés: «Por lo demás, siempre mueren los otros».

1887 Marcel Duchamp nace el 28 de julio en Blainville-Crevon.
1904 Se traslada a París.
1913 Su *Desnudo bajando una escalera* causó un gran revuelo en la Armory Show de Nueva York.
1915 Crea su mayor contribución al arte abstracto: *El gran vidrio*.
1915 Duchamp se traslada a Nueva York, donde influye en los artistas del dadá. Vive a caballo entre París y Estados Unidos.
1923 A causa del hastío, renuncia durante diez años a todo tipo de actividad artística.
1936 Empieza a trabajar en *La caja en la maleta*.
1947 Duchamp organiza una exposición de los surrealistas en París.
1968 Marcel Duchamp fallece el 2 de octubre en Neuilly-sur-Seine.

Arte objetual y arte conceptual

Duchamp está considerado como el creador del arte objetual, cuyos representantes desde principios del siglo XX recogían en sus pinturas ensamblajes y *collages*, cosas que hallaban y objetos de la vida cotidiana, modificados o no. El arte conceptual de Sol Le Witt, On Kawara, Timm Ulrichs o Hanne Darbovenda, que surgió a partir de 1965, va un paso más allá: lo único que importa es la idea del artista, al margen de quién cree la obra surgida a partir de esa idea.

[arriba]
Marcel Duchamp, 1965. Fotografía de Ugo Mulas

PABLO PICASSO

SALVADOR DALÍ

1905-1907 Creación de los grupos artísticos
Die Brücke y Der Blaue Reiter

1914-1918 Primera
Guerra Mundial

1933 Hitler se convierte en
führer y canciller de
Alemania

IMPRESIONISMO 1860-1915

1860-1915 IMPRESIONISMO   CUBISMO 1915-1920   EXPRESIONISMO 1920-1940

1855   1860   1865   1870   1875   1880   1885   1890   1895   1900   1905   1910   1915   1920   1925   1930   1935   1940

[abajo]
Ubu Imperator, 1923.
Óleo sobre lienzo, 81 x 65 cm.
Museo Nacional de Arte Moderno,
Centro Georges Pompidou, París

[derecha]
El bosque, 1927. Frottage, óleo
sobre lienzo, 114 x 146 cm.
Staatliche Kunsthalle, Karlsruhe

1950 Guerra de Corea   **1973** Primera crisis del petróleo

937 *Guernica* (Picasso)   **1991** Disolución de la Unión Soviética

937 Exposición *Arte degenerado* en Munich

1939-1945 Segunda Guerra Mundial   **1960** John F. Kennedy, presidente de Estados Unidos

EXPRESIONISMO ABSTRACTO 1940-1960   POP-ART 1960-1975

1945   1950   1955   1960   1965   1970   1975   1980   1985   1990   1995   2000   2005   2010   2015   2020   2025   2030

MAX ERNST

A principios del siglo XX, muchos artistas descubrieron el mundo tras los objetos. El prestigioso dadaísta y surrealista Max Ernst fue el más fantasioso e ingenioso de ellos.

Cuando Max Ernst decidió ser pintor sin haber recibido jamás formación artística, quería sacar a la luz el misterioso y oculto mundo de su infancia, todos esos seres fabulosos que se escondían en la madera, los bosques y las nubes.

Durante la Primera Guerra Mundial, Max Ernst tenía que marcar la posición de los soldados en los mapas, una actividad absurda. A su regreso a Colonia, quiso contraponer a la muerte en combate un arte alegre y vitalista, y para ello creó en esta ciudad un grupo dadaísta con sus amigos Hans Arp y Johannes Theodor Baargeld. Coleccionaba trozos de papeles pintados, instrucciones de uso e imágenes de libros de tecnología y ciencias naturales, los recortaba y componía diminutos *collages* muy imaginativos. De este modo, hizo que ballenas nadaran por el dormitorio, que carrozas volaran por el cielo estrellado y que probos ciudadanos en traje de domingo lucharan con enormes serpientes. La guerra había sido cruel y absurda para Ernst, así que sus cuadros debían ser absurdos, pero al menos divertidos.

Nuevas técnicas pictóricas

A veces, como en su obra *La rueda del sol*, Ernst aplicaba una capa gruesa de óleo sobre el lienzo y después presionaba tablas de madera encima, para posteriormente raspar con espátulas y objetos punzantes sobre lo que quedaba. Estos *grattages*, como él los llamaba, mostraban a menudo paisajes. En otras ocasiones, Ernst vertía sobre el lienzo pintura muy diluida y colocaba sobre ella un vidrio plano: con esta técnica, denominada *décalcomanie*, también se podían producir misteriosos paisajes llenos de plantas e insectos. Otra técnica que utilizaba era el llamado *frottage*: calcaba hojas, lienzos toscos o el suelo de tablones colocando encima un papel y frotando sobre el mismo con un lápiz de mina blanda. De esta manera hizo aparecer animales, cabezas y plantas como en su obra *El bosque*, de 1927.

Arte indio como fuente de inspiración

En un viaje en coche por Estados Unidos, Ernst observó asombrado el gran parecido de la naturaleza de aquellos parajes con sus vastos pedregales y sus selvas pintadas al óleo. Sobre todo en la inmensidad infinita y escarpada de Arizona se sintió como en casa. Allí se instaló Ernst, que había huido de la Alemania nazi, junto con su mujer. En las reservas indias, el artista conoció las muñecas mágicas y las máscaras de los indígenas, y creó esculturas para su jardín que se parecían a los tótems protectores y los postes de tormento de los apaches y los hopis. Max Ernst siempre se construía una casa en el lugar en el que iba a vivir; también en Francia, adonde se trasladó en 1954. Y una y otra vez las decoraba con figuras de pájaros, brujas y monstruos que parecían mensajeros de un mundo fabuloso, oculto y particular del artista, que este sacaba a la luz en sus cuadros y esculturas.

Dadaísmo

Después de la Primera Guerra Mundial, artistas como Hugo Ball y Tristan Tzara organizaron en 1917 en Zurich, Colonia, Berlín, Hannover y Nueva York acciones tumultuosas y resonantes con la intención de provocar a los ciudadanos de a pie y su mundo, del que había surgido esa guerra. Con la palabra *Kommerz* recortada de un periódico, Kart Schwitters creó incluso un mundo dadá en el que se podía entrar: con objetos encontrados, esculturas y *collages* construyó sus casas Merz. Otros dadaístas conocidos fueron Marcel Duchamp, Francis Picabia y Hans Arp. Dijeron que habían elegido ese nombre por la palabra francesa *dada*, con la que los niños se refieren a un caballito de juguete, pero eso también se lo inventaron.

1891 Max Ernst nace el 2 de abril en Brühl, cerca de Colonia.
1912 Decide ser pintor.
1914 Ernst es soldado en la Primera Guerra Mundial.
1919 Funda en Colonia un grupo dadaísta.
1922 Ernst se marcha a París.
1925 En 1925 desarrolla el *frottage* como técnica del surrealismo.
1929 Aparece su novela-*collage* titulada *La mujer de 100 cabezas*.
1939 En París lo encarcelan por considerarlo «extranjero hostil».
1941 Se traslada a Estados Unidos, donde permanece durante doce años.
1976 Max Ernst fallece el 1 de abril en París.

PÁGINA WEB Y MUSEO RECOMENDADOS
El Museo Max Ernst de la ciudad de Brühl alberga muchas de sus obras tempranas, más de sesenta esculturas, así como una amplia colección con retratos fotográficos que son únicos en el mundo: www.maxernstmuseum.de

[arriba]
Max Ernst, Sedona, 1946. Fotografía de John Kasnetsis

JOAN MIRÓ

PABLO PICASSO

SALVADOR DALÍ

1886 Primeros coches con motor de gasolina   **1914-1918** Primera Guerra Mundial

IMPRESIONISMO 1860-1915   1860-1915 IMPRESIONISMO   CUBISMO 1915-1920   EXPRESIONISMO 1920-1940

1850   1855   1860   1865   1870   1875   1880   1885   1890   1895   1900   1905   1910   1915   1920   1925   1930   1935

[abajo]
Figuras y perro frente al sol, 1949.
Óleo sobre lienzo, 81 x 54,5 cm.
Museo de Arte de Basilea

[derecha]
Azul III, 1961.
Óleo sobre lienzo, 355 cm x 270 cm.
Centro Georges Pompidou, París

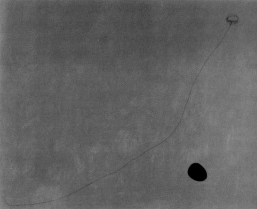

1939-1945 Segunda Guerra Mundial   1960 John F. Kennedy, presidente   1981 Primer vuelo del transbordador espacial Columbia
                                         de Estados Unidos
    1945 Lanzamiento de bombas atómicas   1964 Estados Unidos interviene en la guerra de Vietnam   1995 Christo y Jeanne-Claude
         sobre Hiroshima y Nagasaki   1969 Festival de música de Woodstock   envuelven el Reichstag de Berlín

EXPRESIONISMO ABSTRACTO 1940-1960   POP-ART 1960-1975

1940   1945   1950   1955   1960   1965   1970   1975   1980   1985   1990   1995   2000   2005   2010   2015   2020   2025

JOAN MIRÓ

Hojas y ojos, llamas y estrellas, animales y barcos pintados simplemente con algunas líneas negras y muchos colores pueblan los cuadros del pintor, escultor y grafista catalán Joan Miró. Sus líneas, círculos y puntos, que combinados forman seres fantásticos cada vez distintos, entusiasmaron a los artistas del surrealismo.

A Miró le preguntaron a veces cómo había llegado a esas maravillosas ideas que se veían en sus cuadros. «Bueno —respondía—, regresaba de noche, ya tarde, a mi estudio en la rue Blomet y me acostaba, a veces sin haber cenado siquiera. Entonces veía cosas y las anotaba en mi libreta.» En esos momentos las manchas en el techo de su habitación, junto con los reflejos de los rótulos luminosos y de las farolas de la calle, formaban un mundo imaginario de peces y gatos, escaleras y soles, o libélulas de alas de colores, como las que abundan en *El carnaval del arlequín*.

Pintar sueños

En París, Miró coincidió con Pablo Picasso, que estaba metido de lleno en el cubismo, y que Miró intentó a su vez imitar en sus primeras obras. El catalán aprendió del cubismo que las cosas sobre un lienzo se pueden descomponer en cuadrados o círculos, por lo que ya solo le quedaba reconvertirlos en sus seres imaginarios. Más tarde, cuando Miró se familiarizó con el arte abstracto de Vassily Kandinski y las pinturas de Paul Klee, inventó un mundo propio para sus obras, un mundo en el que los colores y las formas flotan sobre el lienzo como si fueran móviles. Animales de colores y figuras lineales, lunas y letras animadas suben por largas escaleras hacia el cielo. La fuerza de la gravedad de la Tierra no puede detenerles, al fin y al cabo solo son pura forma y color. A medida que Miró envejecía, sus pinturas se volvían cada vez más parcas. Al final, solo quedaban el cielo azul del lienzo y un par de puntos y líneas que, como en su obra *Azul III*, forman un sol negro y una cometa volando de color puro. En aquel tiempo, Miró intentaba sobre todo conseguir un gran efecto con muy pocos medios: «Esa es la razón de que el vacío cobre cada vez más importancia en mis cuadros».

El nacimiento del mundo

«No invento nada —dijo Miró en una ocasión—, ¡todo está aquí!» Sus cuadros, antes de pintarlos, ya existían en sus sueños y en su fantasía. Igual que un poeta surrealista con su poesía, Miró intentaba sacar a la luz ese mundo imaginario en sus cuadros; e igual que un poeta surrealista, les ponía títulos que hacían que parecieran aun más misteriosos. A uno de sus cuadros le puso de título *Una gota de rocío caída del ala de un pájaro despierta a Rosalie dormida a la sombra de una telaraña*; a otro, *El ala de la alondra rodeada por el azul de oro alcanza el corazón de la amapola que duerme en la pradera adornada de diamantes*. O simplemente *El nacimiento del mundo*, porque sus más de 8.000 cuadros, gráficos, cerámicas y esculturas debían ser el nacimiento de un nuevo mundo.

1893 Joan Miró nace el 20 de abril cerca de Barcelona.
1911 Deja de trabajar como contable y se hace pintor.
1920 Pablo Picasso le recibe en su estudio parisino.
1924 Los surrealistas se fijan en él.
1926 Miró colabora con Max Ernst en un decorado.
1930 Nace Dolores, su única hija.
1933 Miró conoce a Vassily Kandinski.
1941 Se presenta en Nueva York su primera gran retrospectiva.
1959 Participa en la exposición *Documenta* de Kassel.
1983 Joan Miró fallece el 25 de diciembre en Palma de Mallorca.

LECTURA Y MUSEO RECOMENDADOS
La Fundació Joan Miró de Barcelona alberga una muestra muy completa de la obra del artista: www.bcn.fjmiro.cat/
Fanés, Fèlix. *Pintura, collage, cultura de masas: Joan Miró, 1919-1934*. Madrid: Alianza Editorial, 2007.

El surrealismo absoluto

El surrealismo tenía muchas caras. Mientras artistas como Salvador Dalí o René Magritte querían captar sus mundos de fantasía de manera casi fotográfica y en detalle, otros pintores como Miró, el francés André Masson o el alemán Hans Arp representaban seres extraños con formas que en cierta manera recordaban al cuerpo humano. De modo similar, pero por razones distintas, representantes del arte abstracto como Vassily Kandinski habían desterrado los objetos de sus lienzos. La variante fotográfica del surrealismo recibe el nombre de verismo, y la abstracta se denomina *surrealismo absoluto*.

[arriba]
Miró en el estudio parisino de la rue François Mouthon, 1931, fotografía

1891 Fin de las guerras con los
indios en Estados Unidos

1914-1918 Primera Guerra Mundial

1918 Nacimiento de Leonard Bernstein

IMPRESIONISMO 1860-1915

1860-1915 IMPRESIONISMO   CUBISMO 1915-1920   EXPRESIONISMO 1920-1940

1850 1855 1860 1865 1870 1875 1880 1885 1890 1895 1900 1905 1910 1915 1920 1925 1930 1935

[derecha]
Pequeña araña, hacia 1940. Hojalata,
alambre y pintura, 111 cm x 127 cm x 140 cm.
Colección privada

[abajo]
La Grande Vitesse, 1969. Acero y pintura,
109,22 cm x 140 cm x 63,5 cm.
Grand Rapids, Michigan

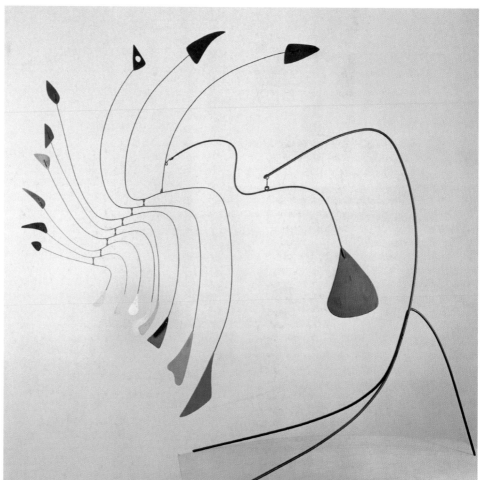

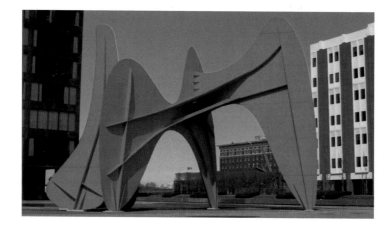

ALEXANDER CALDER

Este escultor estadounidense influyó en el arte moderno con el dinamismo y el colorido de sus esculturas. Conocido en todo el mundo por sus móviles y estables, Alexander Calder, quien celebró sus primeros éxitos con su propio pequeño circo, llegó incluso a pintar aviones.

Alexander Calder nunca pudo olvidar la salida del sol en la costa de Guatemala. En 1922 se había enrolado en un carguero como bombero y quedó profundamente impresionado por ese «milagro del universo», como denominó el espectáculo del amanecer. Entre el rojo encendido del sol que sale por un lado del barco y la luna plateada por el otro, Calder, que había realizado todos los oficios imaginables, desde representante de máquinas cortacésped a contable, decidió ser artista. Ese milagro de la naturaleza que tanto le impactó se puede ver en muchas de sus obras.

Del dibujo al circo

Calder trabajó de dibujante para un periódico de Nueva York. Este trabajo no le reportó al artista en ciernes un sueldo espléndido, pero sí le dio la oportunidad de permanecer durante dos semanas en un circo, que le impresionó tanto como aquel amanecer en Guatemala. Calder había recibido entradas de prensa para las funciones, y durante todos los días de representación no salió de la carpa de tan entusiasmado que estaba.

El artista quedó tan impresionado por el mundo circense que decidió abrir uno por su cuenta. Así nació el Cirque Calder, que más tarde alcanzaría fama mundial, en el que el propio Calder oficiaba de director. Sus funambulistas, músicos, payasos y animales los componía con alambres, corcho, papel y todo tipo de residuos. Después de trasladarse a París en el verano de 1926, Calder presentaba regularmente su circo en círculos artísticos. Toda la vanguardia de la época, durante esas veladas circenses, estaba pendiente de ese joven venido de Estados Unidos: Joan Miró, Man Ray, Hans Arp, el escritor Jean Cocteau. «Lo que más me gustaba eran los papelitos», confesó Miró en una ocasión a su amigo Calder. Se refería a los trocitos de papel que el artista dejaba caer sobre los alambres y que daban la impresión de ser diminutas palomas.

Arte en movimiento

Calder se convirtió en uno de los pioneros de la escultura más ávidos de experimentar. Su mundo artístico cada vez tenía más colorido: latas de sardinas vacías, botes de café y trozos de vidrio de distintos colores se convertían entre sus manos en esculturas sensacionales; lo mismo sucedía con las planchas de madera o de metal. El artista alcanzó fama mundial con sus móviles propulsados por el viento, que a principios de la década de 1930 causaron gran revuelo en el mundo del arte. Una simple brisa de aire pone en movimiento los círculos metálicos sujetos a alambres. Calder, paralelamente a sus móviles, también atornillaba placas metálicas y las convertía en estables que durante las décadas de los años sesenta y setenta se hicieron cada vez más monumentales. Esas aves fantásticas, dinosaurios y otras criaturas gigantescas siguen estimulando la fantasía de los espectadores en muchas plazas públicas y llenando de color la ciudad.

Constructivismo

Algunos artistas rusos demostraron a principios del siglo XX todo lo que dan de sí las figuras geométricas. El escultor Vladimir Tatlin y sus colegas artistas El Lissitzky, Naum Gabo und Alexander Rodtschenko construyeron obras de arte a partir de figuras geométricas. En 1930, Tatlin bautizó esta técnica bastante matemática con el nombre de *constructivismo*. Mientras artistas como Tatlin y Rodtschenko ponían sus obras al servicio de los movimientos sociales, pintores como Kasimir Malevitsch luchaban por la independencia del arte. Muchos artistas occidentales, sobre todo Piet Mondrian y el grupo holandés De Stijl, fueron influenciados por los constructivistas rusos. Alexander Calder también fue, durante un tiempo, un entusiasta seguidor del constructivismo estricto.

1898 Alexander Calder nace el 22 de julio en Lawnton, cerca de Filadelfia.
1919 Finaliza sus estudios de ingeniero.
1924 Trabaja de dibujante de prensa para la *National Police Gazette*.
1927 Nace el Cirque Calder.
1931 Matrimonio con Louisa James.
1932 Calder presenta en París los primeros móviles.
1939 Para la Exposición Universal de Nueva York crea un *ballet* acuático con 14 fuentes, pero no funciona.
1943 Gran retrospectiva de Calder en el Museum of Modern Art (MoMA) de Nueva York.
1957 El artista diseña móviles gigantes para el aeropuerto John F. Kennedy de Nueva York y la sede principal de la UNESCO en París.
1973 Calder pinta un avión de línea de Braniff International Airlines.
1976 El artista fallece el 11 de noviembre a la edad de 78 años.

PÁGINAS WEB Y MUSEOS RECOMENDADOS
La Fundación Calder ofrece una buena perspectiva sobre la vida y la obra de Alexander Calder en www.calder.org
El circo de Calder se conserva actualmente en el Museo de Arte Americano Whitney de Nueva York: www.whitney.org

[arriba]
Alexander Calder con su circo, 1929.
Fotografía de André Kertész

HENRY MOORE

PABLO PICASSO

JOHN CAGE

1914-1918 Primera Guerra Mundial

1891 Fin de las guerras con los indios en Estados Unidos

1929 Crack de la Bolsa
de Nueva York

IMPRESIONISMO 1860-1915

1860-1915 IMPRESIONISMO   CUBISMO 1915-1920   EXPRESIONISMO 1920-1940

| 1850 | 1855 | 1860 | 1865 | 1870 | 1875 | 1880 | 1885 | 1890 | 1895 | 1900 | 1905 | 1910 | 1915 | 1920 | 1925 | 1930 | 1935 |

[derecha]
Two Women in a Shelter, 1940-1941.
Lápiz, tizas de cera, acuarela y tinta,
20,4 x 16,2 cm. British Museum, Londres,
legado de Jane Clark 1977

[abajo]
Large Two Forms, 1966-1969.
Bronce, altura aprox. 6 m.
Antigua Cancillería, Bonn

1939-1945 Segunda Guerra Mundial

1960 John F. Kennedy, presidente de Estados Unidos

1979 Entrada de tropas soviéticas en Afganistán

1969 Llegada a la Luna de astronautas estadounidenses

2001 Atentados terroristas en Estados Unidos

1973 Caso Watergate

EXPRESIONISMO ABSTRACTO 1940-1960   POP-ART 1960-1975

1940 1945 1950 1955 1960 1965 1970 1975 1980 1985 1990 1995 2000 2005 2010 2015 2020 2025

HENRY MOORE

El escultor inglés Henry Moore se dejó influir tanto por las arcaicas esculturas de los pueblos primitivos como por el cubismo de sus coetáneos y las obras de los griegos clásicos. En muchas plazas públicas se pueden admirar sus grandes figuras y sus esculturas de madre e hijo con sus formas redondas y sinuosas.

El matadero de su ciudad natal, Castleford, había impresionado al joven Henry Moore. El despiece de las vacas, las formas curvas de sus enormes cabezas le fascinaban y le seguían inspirando cuando se sentaba ante el escarpado peñasco cerca de la ciudad de Leeds. «Ese peñasco era imponente», comentó Moore más tarde refiriéndose al coloso de piedra cuyas formas podía estar contemplando durante horas. En aquel entonces, cuando tenía unos 11 años de edad, Henry Moore decidió ser escultor. Estudió las esculturas góticas de las iglesias, leyó revistas sobre arte contemporáneo y admiró las obras de Miguel Ángel. Pero ante la insistencia de su padre, tuvo que dejar la escuela de arte local en 1915 para emprender sus estudios de maestro. Como enseñante trabajó poco tiempo, hasta que en 1916 se presentó voluntario para el ejército.

Estudio a conciencia
Al finalizar la Primera Guerra Mundial, Moore regresó a Castleford, donde empezó a trabajar de nuevo como maestro. Insatisfecho con esta tarea, cursó clases nocturnas de cerámica y a partir de entonces el arte ya no le soltó. Las obras de Rodin, Picasso, Alexander Archipenko y Constantin Brancusi le cautivaron e inició sus estudios de arte. Paul Gauguin había sido, a finales del siglo XIX, el primer artista europeo que se entusiasmó con la originalidad creativa de los llamados primitivos, después le siguieron otros artistas como Matisse, Picasso y los pintores del grupo Die Brücke (que significa literalmente 'el puente'). Moore se inspiró tanto en el arte de los antiguos egipcios y de América del Sur como en las impresionantes esculturas de los pueblos primitivos de África y la Polinesia.

Piedras sagradas y dibujos famosos
Moore quería dotar a sus piedras de una carga mágica, como si estuvieran destinadas a un ritual sagrado. Antes de dar el primer golpe con el cincel intentaba descubrir qué deseaba la piedra. Solo entonces el escultor empezaba a trabajar. «El primer ahuecamiento de un bloque es una revelación», opinaba Moore. Durante la Segunda Guerra Mundial Moore tuvo que limitarse a dibujar. En 1940 fue nombrado artista oficial de guerra de Inglaterra. Mientras los alemanes bombardeaban Londres, realizó los *Shelter Drawings*, que posteriormente llegarían a ser famosos. Se trata de dibujos de personas atemorizadas en los refugios antiaéreos del metro londinense. Finalizada la guerra, por fin pudo dedicarse de nuevo a su actividad como escultor. Henry Moore se convirtió en uno de los artistas más célebres del siglo XX.

Escultura moderna
A principios del siglo XX, los artistas acudían en masa a los grandes museos etnológicos para admirar las obras de arte de los llamados primitivos de África y Oceanía. Sus esculturas y máscaras fascinaron sobremanera a escultores como Constantin Brancusi y Amedeo Modigliani, así como a Pablo Picasso, que también se vio muy influido por este arte desconocido hasta entonces. Por eso sus obras se diferencian tanto de las de finales del siglo XIX. El lenguaje de las formas de la escultura se asemejaba al de la pintura, de manera que los escultores también se sumaron a las ideas cubistas, dadaístas o surrealistas. El francés Hans Arp adquirió notoriedad con sus esculturas abstractas y curvilíneas; el constructivista ruso Vladimir Tatlin se hizo famoso por sus modelos de madera en forma de espiral, y el escultor suizo Alberto Giacometti causó sensación con sus figuras esqueléticas. A pesar de las numerosas corrientes nuevas, muchos escultores europeos no abandonaron el arte figurativo. El francés Aristide Maillol alcanzó gran maestría con sus esculturas de bronce de impresionantes figuras femeninas. En Alemania tuvieron gran resonancia las figuras de Ernst Barlach.

1898 Henry Spencer Moore nace el 30 de julio en Castleford (Yorkshire).

1916 Trabaja de maestro en la Temple Street School de Castleford.

1917 Herido en un ataque con gas tóxico durante la Primera Guerra Mundial.

1921 Comienza sus estudios de arte en el Royal College of Art de Londres.

1926-1939 Profesor en el Royal College of Art.

1929 Primer gran encargo de una institución pública, *Westwind*, para la sede principal del metro londinense.

1940 Moore es nombrado artista oficial de guerra de Inglaterra.

1948 Expone en la 24.ª Bienal de Venecia y obtiene el Gran Premio de Escultura.

1958 Inauguración de la escultura de la UNESCO en París.

1986 Moore fallece el 31 de agosto en Much Hadham (Hertfordshire).

PÁGINA WEB RECOMENDADA
En la página www.henry-moore-fdn.co.uk, la Fundación Henry Moore de Much Hadham (Hertfordshire) facilita información sobre el escultor.

[arriba]
Henry Moore trabajando en una escultura en el jardín de Burcroft, Kent, 1937, fotografía

1914-1918 Primera
Guerra Mundial

1929 Crack de la Bolsa
de Nueva York

IMPRESIONISMO 1860-1915

1860-1915 IMPRESIONISMO   CUBISMO 1915-1920   EXPRESIONISMO 1920-1940

1850   1855   1860   1865   1870   1875   1880   1885   1890   1895   1900   1905   1910   1915   1920   1925   1930   1935

[arriba derecha]
Sofá de los labios de Mae-West, 1937.
Tela y madera, 92 x 213 x 8 cm. The Royal
Pavilion, Museos y Bibliotecas, Brighton

[arriba izquierda]
*Retrato de Mae West que puede utilizarse
como apartamento surrealista*, 1934-1935.
Gouache sobre papel de periódico,
31 x 17 cm. Instituto de Arte de Chicago

[abajo]
La persistencia de la memoria, 1931.
Óleo sobre lienzo, 24 x 33 cm.
Museum of Modern Art (MoMA),
Nueva York

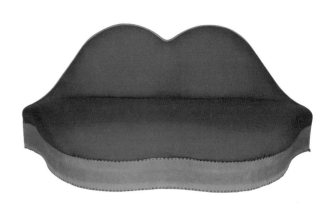

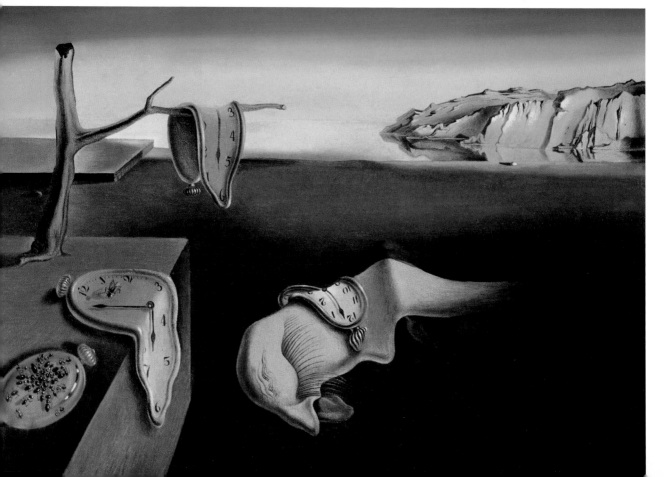

1939-1945 Segunda Guerra Mundial   1972 Atentado en las Olimpiadas de Munich   2001 Atentados terroristas en Estados Unidos

1952 Elvis Presley salta a la fama

1969 Llegada a la Luna de astronautas estadounidenses   1991 Disolución de la Unión Soviética

2003 Invasión de Iraq por Estados Unidos

EXPRESIONISMO ABSTRACTO 1940-1960   POP-ART 1960-1975

1940 1945 1950 1955 1960 1965 1970 1975 1980 1985 1990 1995 2000 2005 2010 2015 2020 2025

SALVADOR DALÍ

Este pintor, escultor y grafista español ya estaba algo loco de niño. A los 6 años de edad quería ser «cocinera» por encima de todo y a los 7, Napoleón. Más tarde, se propuso ser únicamente «el genio Salvador Dalí» con su bigote enroscado, vestido siempre de un modo elegante y con muchas ideas que causaban sensación. Decía que toda persona tenía «derecho a su locura».

El arte de Dalí era alocado y fantástico. En una ocasión, diseñó un teléfono cuyo auricular era una langosta; en otra, dejó perplejo al público con un pan de 15 metros de largo. Estos objetos debían ser distintos del arte «normal» de su tiempo y «absurdos», al igual que las esculturas y las pinturas de los demás surrealistas de París.

Sueños inmortalizados

Dalí nunca pintó la realidad en sus cuadros, sino que ante todo pretendía hacer visibles los enigmas de sus sueños. Por esa razón, en sus pinturas aparecen jirafas ardiendo y elefantes enormes caminando sobre zancos y atravesando las nubes; de los árboles cuelgan relojes de bolsillo que se funden; melones, cuchillos y trenes flotan en el espacio sin gravedad, o grupos de personas en cuadros misteriosos se convierten, en función de la mirada del espectador, en calaveras y recuperan su imagen original. Algunas figuras tienen cajones abiertos en sus cuerpos, en cuyo fondo oscuro se ocultan sus más íntimos secretos. Dalí plasmó este mundo interior imaginario sobre el lienzo con un estilo aparentemente muy fiel a la realidad. En 1934 pintó el «retrato transitable» de la conocida actriz estadounidense Mae West, con su cortina de cabellos, el sofá en forma de labios y la chimenea en forma de nariz: los objetos adquirieron vida y se recompusieron formando un rostro habitable. Más tarde, reconstruyó el cuadro en una sala de su museo, el Teatro-Museo Dalí.

La divina Gala

Cuando tenía 23 años de edad fueron a visitarle desde París los surrealistas André Breton, Réne Magritte y el poeta Paul Éluard. Éluard, que se dejó retratar por Dalí, había acudido junto con su esposa Gala. Entre Dalí y Gala hubo un flechazo: cuando quedó concluido el retrato de Éluard, el poeta había perdido a su mujer. Los Éluard se divorciaron. «Niñito mío –había dicho Gala poco antes a Dalí–, no nos separaremos nunca.» Y así fue: permanecieron juntos hasta la muerte de Gala.

Gala encontró una cabaña de pescador medio abandonada en Port Lligat y Dalí la convirtió en un laberinto surrealista lleno de pasillos y escaleras. En la costa catalana, que una y otra vez aparece en sus obras, y más tarde en Estados Unidos, el pintor fue muy feliz con su musa. En las obras posteriores, Gala aparece a menudo como diosa o santa; fue la época en la que este pintor caprichoso se interesaba cada vez más por la religión. Incluso enseñó un cuadro en que aparece Gala como Virgen de Port Lligat al Papa, a quien le gustó. Esto resultó chocante hasta para los surrealistas, tan amantes del escándalo. Y eso que Dalí ha sido el pintor del grupo que durante más tiempo se mantuvo fiel al arte surrealista.

Surrealismo

El surrealismo surgió en París como continuación del dadaísmo. El concepto proviene del francés y significa algo así como 'más allá de la realidad'. A diferencia de los pintores del realismo, los artistas agrupados en torno al poeta André Breton no querían reflejar el mundo visible, sino sacar a la luz el mundo que queda oculto en nuestros sueños y pesadillas. Los surrealistas creían que en los sueños se puede ver el alma de las personas. Como en los sueños, en sus obras relacionaban objetos aparentemente inconexos, e incluso paradójicos, formando nuevas combinaciones. Un ejemplo es el teléfono-langosta de Dalí. Importantes surrealistas fueron René Magritte, Yves Tanguy, Meret Oppenheim, Joan Miró, Man Ray, Giorgio de Chirico y Max Ernst.

1904 Salvador Dalí nace el 11 de mayo en Figueras.
1921 Inicia en Madrid sus estudios de arte, que no llega a terminar.
1928 Visita de los surrealistas Breton, Magritte y Éluard con su mujer Gala.
1930 Dalí y Gala se establecen en Port Lligat.
1935 Breton le incorpora al grupo de los surrealistas.
1940 Dalí y Gala se exilian durante ocho años en Estados Unidos.
1958 La pareja se casa.
1971 Inauguración del Museo Dalí de Cleveland, que en 1982 se traslada a Florida.
1972 El artista realiza las pinturas murales y de techo del castillo de Gala en Púbol.
1974 Inauguración del Teatro-Museo Dalí en Figueras.
1982 Gala fallece en Púbol.
1989 Dalí fallece el 23 de enero en su ciudad natal, Figueras.

PÁGINA WEB Y LECTURA RECOMENDADAS
En 1983 se creó la Fundación Gala-Salvador Dalí en Figueras, ciudad natal de Dalí: www.salvador-dali.org
Fornés, Eduard. *Pequeña historia de Dalí.* Barcelona: Editorial Mediterrània, 2006.

[arriba]
Salvador Dalí, noviembre de 1963, fotografía

FRIDA KAHLO

PABLO PICASSO

JACKSON POLLOCK

1914-1918 Primera Guerra Mundial

1898 Nacimiento de George Gershwin   **1918** Nacimiento de Leonard Bernstein

IMPRESIONISMO 1860-1915   1860-1915 IMPRESIONISMO   CUBISMO 1915-1920   EXPRESIONISMO 1920-1940

1850   1855   1860   1865   1870   1875   1880   1885   1890   1895   1900   1905   1910   1915   1920   1925   1930   1935

Frida y Diego Rivera, 1931.
Óleo sobre lienzo, 100 x 79 cm.
Museo de Arte Moderno de
San Francisco

1937 Guernica (Picasso)   **1962** Crisis de los misiles en Cuba   **1986** Catástrofe en la central nuclear de Chernóbil

1939-1945 Segunda Guerra Mundial   **1964** Estados Unidos interviene   **1990** Reunificación de Alemania
                                            en la guerra de Vietnam   **2001** Atentados terroristas en Estados Unidos

EXPRESIONISMO ABSTRACTO 1940-1960   POP-ART 1960-1975

1940   1945   1950   1955   1960   1965   1970   1975   1980   1985   1990   1995   2000   2005   2010   2015   2020   2025

FRIDA KAHLO

La pintora mexicana Frida Kahlo representó en sus óleos sobre todo su propia vida, marcada por la tristeza y el dolor. Pablo Picasso, Vassily Kandinski y los artistas surrealistas admiraron sus obras. Ella nunca llegó a formar parte de este movimiento, sino que desarrolló un peculiar estilo propio.

Frida Kahlo contrajo la poliomielitis a los 6 años y su pierna derecha jamás se recuperó del todo. En un accidente de tráfico posterior, una barra de hierro atravesó su cuerpo y desde entonces la joven no dejó nunca más de sentir dolor. Un día, su madre acercó un espejo a su cama y le dio pinceles y colores. Frida comenzó entonces a pintar en la cama representándose a sí misma y su sufrimiento en cuadros únicos.

Frida y Diego

Kahlo contrajo matrimonio a la edad de 22 años con el pintor Diego Rivera, que era mucho mayor que ella. Rivera se había hecho famoso con sus murales, que glorificaban la Revolución mexicana. Frida se situó por completo a la sombra de Diego, y así retrató a la pareja de recién casados en su cuadro *Frida y Diego Rivera*. Únicamente Rivera lleva los utensilios de pintor –pinceles y paleta–, mientras que Kahlo no aparece más que como esposa. La gente llamaba a la desigual pareja «la paloma y el elefante». Si bien su matrimonio estuvo colmado de pasión, no siempre fue feliz. La pareja llegó incluso a divorciarse debido a que el pintor, un hombre dominante, se interesaba demasiado por otras mujeres. Sin embargo, nunca llegaron a romper totalmente los lazos entre ellos y, más tarde, contrajeron matrimonio por segunda vez. A partir de entonces parece que se entendieron mejor: Frida Kahlo se convirtió en protectora maternal de Rivera. En cualquier caso, así lo plasmó la artista en su cuadro *El abrazo de amor del universo*. Diego yace en sus brazos como un recién nacido, ambos artistas descansan en las manos gigantescas de la Madre Tierra, cuyos brazos rodean también toda la naturaleza. A los pies del vestido de Kahlo dormita Señor Xólotl, el perro favorito de la pintora, al que había puesto el nombre de un dios mexicano.

«Viva la vida»

Los cuadros de Kahlo casi se pueden alinear configurando un libro de su vida con imágenes coloridas aunque tristes. Existe un dibujo a lápiz de su accidente de autobús o un óleo de su destrozada columna vertebral con el corsé de acero que tuvo que llevar durante mucho tiempo. En algunos cuadros, Kahlo representó su tristeza y en otros describió su nostalgia de México. Más tarde, se pintó también en la silla de ruedas a la que estaría condenada hasta su muerte. En muchos de sus autorretratos, Frida Kahlo se muestra seria y pensativa, aunque existen otros cuadros que narran, con animados y brillantes colores, días más felices y enormes ganas de vivir, como por ejemplo un retrato de su primer novio, un cuadro de boda con Diego o un autorretrato vestida con el traje regional de las mujeres de Tijuana, que tanto amaban Frida y Diego. La última pintura de Kahlo, terminada poco antes de su muerte, es una naturaleza muerta con sandías partidas. En la pulpa de una de las sandías escribió: «Viva la vida».

1907 Frida Kahlo nace el 6 de julio en Coyoacán.
1913 Contrae la poliomielitis.
1925 Sufre un accidente de tráfico, cuyas secuelas padecerá toda la vida.
1925 Comienza a pintar.
1929 Contrae matrimonio con Diego Rivera por primera vez.
1938 Presenta su primera exposición individual en Nueva York.
1940 Rivera y Kahlo se casan de nuevo tras su separación un año antes.
1950 Kahlo es operada de la columna vertebral en siete ocasiones y debe permanecer sentada en silla de ruedas hasta su muerte.
1954 Frida Kahlo muere el 13 de julio en Coyoacán, su ciudad natal.

LECTURAS RECOMENDADAS
VV.AA. *Frida*. Barcelona: Editorial Océano, 2007.
Herrera, Hayden. *Frida: una biografía de Frida Kahlo*. Barcelona: Editorial Planeta, 2006.
Jamis, Rauda. *Frida Kahlo*. Barcelona: Circe Ediciones, 1995.

[arriba]
Frida Kahlo con el traje típico de Tijuana ante cerámica popular, 1942. Fotografía de Bernard G. Silberstein.

[izquierda]
La columna rota, 1944. Óleo sobre lienzo, montado sobre masonite, 40 x 30,7 cm. Museo Dolores Olmedo Patiño, Ciudad de México.

[abajo]
Viva la vida, hacia 1951-1954.
Óleo y tierra sobre masonite, 52 x 72 cm.
Museo Diego Rivera y Frida Kahlo,
Ciudad de México

[página derecha]
*El abrazo de amor del universo, la Tierra
(México), yo, Diego y Señor Xólotl*, 1949.
Óleo sobre lienzo, 70 x 60,5 cm.
Colección privada, Ciudad de México

JACKSON POLLOCK ▬▬▬▬▬▬▬▬▬▬▬

JOAN MIRÓ ▬▬▬▬▬▬▬▬▬▬▬▬▬▬▬▬▬▬▬▬▬▬

JOSEPH BEUYS ▬▬▬▬▬▬▬▬▬▬

1898 Nacimiento de   **1914-1918** Primera Guerra Mundial
George Gershwin

IMPRESIONISMO 1860-1915   1860-1915 IMPRESIONISMO   CUBISMO 1915-1920   EXPRESIONISMO 1920-1940

| 1850 | 1855 | 1860 | 1865 | 1870 | 1875 | 1880 | 1885 | 1890 | 1895 | 1900 | 1905 | 1910 | 1915 | 1920 | 1925 | 1930 | 1935 |

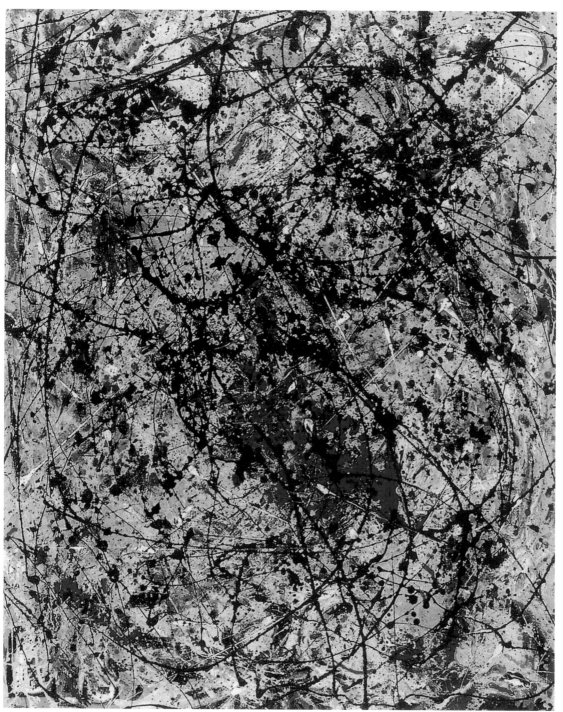

1939-1945 Segunda
Guerra Mundial

1952 Elvis Presley salta a la fama

1973 Caso Watergate

1950 Abolición de la
segregación racial
en Estados Unidos

1962 Crisis de Cuba 1969 Llegada a la Luna de astronautas estadounidenses

2001 Atentados terroristas en Estados Unidos

1963 Asesinato de John F. Kennedy

1990 Reunificación de Alemania

EXPRESIONISMO ABSTRACTO 1940-1960   POP-ART 1960-1975

1940   1945   1950   1955   1960   1965   1970   1975   1980   1985   1990   1995   2000   2005   2010   2015   2020   2025

JACKSON POLLOCK

El pintor estadounidense Jackson Pollock dejó a un lado el pincel para hacer gotear los colores directamente sobre el lienzo en un entramado de bandas, líneas y manchas de colores o negras. Con ello, impulsó de nuevo la pintura abstracta. Hoy en día se le considera el principal representante del expresionismo abstracto.

A Pollock no le atraía pintar con el pincel. Dejaba correr la pintura directamente sobre el lienzo desde arriba. Sus gigantescas obras realizadas con la técnica del goteo (*drip paintings*) tenían que decorar grandes paredes, como los murales de los artistas mexicanos. La famosa marchante de arte Peggy Guggenheim le apoyó.

Pintar sin pincel

Sus colegas pintores tensaban sus lienzos con mucho esfuerzo sobre bastidores, los colocaban en un caballete y componían sus pinturas con esmero. Pollock, sin embargo, no quería pintar retratos, paisajes o naturalezas muertas, sino cuadros que no fueran más que eso: cuadros en sí mismos. Instaló su estudio en un espacioso granero y allí extendía el lienzo sobre el suelo. Así podía acercarse desde todos los lados y dejar que la pintura fluyera libremente. Al igual que los indios norteamericanos dejaban correr la arena por sus puños para formar así figuras y círculos artísticos ante sus pies, Pollock creó tejidos enmarañados de líneas, curvas, remolinos y manchas de colores puros. Pollock derramaba, arrojaba o hacía gotear el verde, el amarillo, el rojo y el negro desde sus cubos. Extraía la pintura de sus tubos, agarraba palos, paletas, cuchillos y pinceles secos, rascaba y restregaba con cepillos, trapos o simplemente con la mano por todo el cuadro todavía húmedo. Algunas veces mezclaba la pintura con arena o trozos de vidrio para conseguir una textura áspera en la superficie. El tiempo dedicado a pintar, la acción en sí misma, era más importante para Pollock que el cuadro terminado. Por este motivo, su estilo pictórico se denomina *pintura de acción* (en inglés, *action painting*). Su cuadro *Número 2* es, como revela el título, uno de los primeros *drip paintings* del mundo y constituye, sobre todo, un documento del acto de pintar. Cualquiera puede estudiar el camino que han tomado los colores sobre el lienzo, cada raya sigue el movimiento enérgico de la mano del pintor, cada mancha de pintura evidencia la energía con la que el pintor la arrojó.

El cuadro automático

Pollock no sabía de antemano qué aspecto presentarían al final sus pinturas. Quería dejarse sorprender. De algún modo, los cuadros tenían que pintarse a sí mismos, de forma totalmente espontánea, casi automática, sin pensarlo ni planificarlo mucho tiempo. Esto mismo ya lo habían intentado los surrealistas, cuyos cuadros eran bien conocidos por Pollock. El pintor surrealista Max Ernst había perforado en una ocasión una lata redonda de pintura y había dejado gotear la pintura sobre una hoja de papel. Sin embargo, Pollock era más imaginativo que Ernst en sus cuadros pintados por goteo. Pollock trasladó su idea de una nueva forma de pintar a sus *drip paintings* de manera tan consecuente que llegó un momento en que había pintado todo. ¿Qué novedad quedaba por venir? Esta idea hizo que Pollock se desesperara y, finalmente, dejara de pintar. Poco tiempo después falleció en un accidente de automóvil.

1912 Jackson Pollock nace el 28 de enero en Cody.

1936 Asiste a un curso del pintor mexicano de murales David Alfaro Siqueiros.

1943 La coleccionista Peggy Guggenheim le encarga una gigantesca pintura mural.

1943 Guggenheim organiza la primera exposición individual de Pollock.

1945 Pollock contrae matrimonio con la pintora Lee Krasner.

1947 En un granero desarrolla su técnica de goteo y vertido de la pintura.

1950 Pollock adquiere fama en Europa.

1951 Pollock pinta únicamente cuadros en blanco y negro.

1954 Deja de pintar.

1956 Se exhiben sus cuadros en la Bienal de Venecia.

1956 Jackson Pollock muere el 11 de agosto en un accidente de tráfico.

Expresionismo abstracto

Durante la Segunda Guerra Mundial, muchos artistas estadounidenses buscaban un nuevo camino en la pintura. De esta manera descubrieron el expresionismo procedente de Europa, que Vassily Kandinski había hecho evolucionar hacia el arte abstracto. Sus cuadros no tenían que ser imágenes del mundo real, sino que cada uno era un mundo propio y muy expresivo, que debía regirse por sus propias leyes, formas y colores. Esta corriente artística recibió el nombre de *expresionismo abstracto*, o también *Action painting* o *Escuela de Nueva York*, puesto que la mayoría de pintores de esta escuela, como por ejemplo Willem de Kooning, Franz Kline, Mark Rothko, Robert Motherwell o Clyfford Still, vivían en esta ciudad.

[arriba]
Jackson Pollock en su estudio.
Fotografía de Hans Namuth

[página izquierda]
Reflejo de la Osa Mayor, 1947.
Pintura sobre lienzo, 111 x 91,5 cm.
Museo Municipal de Ámsterdam

1939-1945 Segunda
Guerra Mundial

1929 Crack de la Bolsa
de Nueva York

1914-1918 Primera
Guerra Mundial

IMPRESIONISMO 1860-1915   1860-1915 IMPRESIONISMO   CUBISMO 1915-1920   EXPRESIONISMO 1920-1940

1860   1865   1870   1875   1880   1885   1890   1895   1900   1905   1910   1915   1920   1925   1930   1935   1940   1945

Me gusta América y a América le gusto yo, Galería René Block, Nueva York, 21-25 de mayo 1974. Fotografía de Caroline Tisdall

Fluxus

Pianos y trompetas, algunos petardos, cajas de música, una vieja puerta de armario, un ruidoso televisor, un cubo de pintura para volcarlo sobre la cabeza: muchos consideraban que lo que hacían los artistas del fluxus en sus festivales o durante los *happenings* eran payasadas o el puro caos. Tocaban música, aunque casi ninguno de los participantes dominaba un instrumento. Arrugaban hojas de papel y las lanzaban por el aire, se untaban con litros de pintura, vociferaban, gemían y cantaban. Desde finales de la década de 1950 se reunían artistas, sobre todo estadounidenses, japoneses y alemanes, para organizar festivales y acciones de esta índole. Se denominaron los «artistas del fluxus». El artista George Maciunas fue quien halló en el diccionario inglés la palabra *flux*, que significa 'fluir', es decir, cambiar constantemente de forma. Los artistas del fluxus más conocidos son, sin duda, el compositor John Cage y sus discípulos Wolf Vostell, George Maciunas, Allan Kaprow, el coreano Nam June Paik y Yoko Ono, la mujer del Beatle John Lennon. El movimiento fluxus influyó de forma decisiva en Joseph Beuys.

1980 Ronald Reagan, presidente
de Estados Unidos

1961 Construcción del muro de Berlín

1972 Atentado en las Olimpiadas de Munich

1973 Primera crisis del petróleo

2003 Invasión de Iraq por Estados Unidos

1995 Christo y Jeanne-Claude envuelven
el *Reichstag* de Berlín

1990 Reunificación de Alemania

RESIONISMO ABSTRACTO 1940-1960   POP-ART 1960-1975

1950   1955   1960   1965   1970   1975   1980   1985   1990   1995   2000   2005   2010   2015   2020   2025   2030   2035

JOSEPH BEUYS

El artista, comprometido políticamente, quería cambiar nuestra sociedad por medio de instalaciones de grasa y fieltro, y proclamaba que todas las personas son artistas. El polifacético hombre con sombrero creó, entre otras cosas, dibujos, cuadros plásticos e instalaciones, organizó acciones y publicó escritos.

Cuando tenía 12 años, Joseph Beuys plantó un árbol delante de la casa de sus padres. Años más tarde, quiso ser consecuente y plantó 7.000 árboles. *7.000 robles* es el título de la gran acción que ejecutó con ocasión de la exposición artística Documenta de Kassel en 1982. Beuys, uno de los fundadores del Partido de los Verdes, quiso reclamar con esta acción la defensa del medio ambiente. «En cualquier lugar de la Tierra donde aun haya sitio para un árbol» tendríamos que plantar uno. Todos los ciudadanos deberían actuar en pro de un medio ambiente limpio y una sociedad pacífica, todos deberían cooperar en una gigantesca obra de arte: la «escultura social». Beuys llamaba así a nuestra sociedad, y así se puede entender que «toda persona tiene que ser artista», como dijo en una ocasión.

Predilección por la grasa y el fieltro
Había en especial dos materiales con los que Beuys quería recordar, una y otra vez, que nuestra vida y nuestra sociedad cambian e incluso se pueden modelar como una materia plástica: la grasa moldeable y el cálido fieltro. Su predilección por ambos materiales surgió durante la Segunda Guerra Mundial. En 1940, nada más terminar el bachillerato, Joseph Beuys fue llamado a filas. Se hizo piloto de bombarderos. En el invierno de 1943, su *Stuka* se estrelló en Crimea. Su compañero murió y Beuys perdió el conocimiento. Sobrevivió gracias a un grupo de tártaros nómadas que lo encontraron y lo cuidaron. Untaron su cuerpo con grasa animal y lo envolvieron con fieltro. El artista no olvidó nunca esta experiencia conmovedora y utilizó una y otra vez estos materiales. Famosa fue su *Silla de grasa*, que provocó un escándalo en 1964. ¿Qué tiene de artístico que uno coloque un gran trozo de grasa sobre una silla de madera?

Historias de animales
Desconcertar a las personas, darles un impulso creativo y animarles a pensar, y dar forma a la «escultura social», esto es lo que pretendía Beuys. A menudo daba la impresión de ser un hechicero o un chamán ya que le gustaba rodearse de animales muertos o vivos. Beuys conocía su significado en los antiguos mitos y leyendas, y los utilizaba a propósito en sus obras de arte. En la acción *Cómo se explican los cuadros a una liebre muerta*, de 1965, el artista se paseó por la galería con una liebre muerta en el brazo, le explicó los cuadros colgados en la pared, entonó cantos chamánicos en voz alta y se vertió miel sobre la cabeza. Durante una acción ejecutada en 1974 en Nueva York, *Me gusta América y a América le gusto yo*, Beuys pasó cinco días en una habitación con el coyote Little John, con el que intercambiaba una y otra vez el lecho. Beuys quiso llamar la atención sobre el hecho de que el hombre siempre se busca objetos de odio que luego extermina: como habían hecho los blancos en Norteamérica con el coyote, un animal adorado por los indios. Beuys había ido a Norteamérica para hacer las paces con el coyote.

1921 Joseph Beuys nace el 12 de mayo en Krefeld.

1940 Termina el bachillerato y es llamado a filas.

1943 Su avión se estrella en Crimea y es salvado por tártaros nómadas.

1947-1952 Estudia en la Academia de Bellas Artes de Düsseldorf.

1963 Primera exposición de grasa en una galería de Colonia.

1974 Funda, junto con el escritor Heinrich Böll, la Asociación para el Fomento de una Universidad Libre de Creatividad e Investigación Interdisciplinar en Düsseldorf.

1980 Se presenta por el Partido de los Verdes a las elecciones al Parlamento regional de Renania del Norte-Westfalia.

1982 Se inicia la acción *7.000 robles* en Kassel. El último árbol lo plantó el hijo de Joseph Beuys, Wenzel, en 1987.

1986 Muere el 23 de enero en Düsseldorf.

MUSEO RECOMENDADO
El Museo Schloss Moyland alberga la Colección Van der Grinten, con más de 4.000 obras del artista, y el Joseph-Beuys-Archiv: www.beuys.de

[arriba]
Joseph Beuys, fotografía

[izquierda]
Capri-Batterie, 1985. Bombilla amarilla con portalámparas y limón

1901 Nacimiento de Walt Disney

1914-1918 Primera Guerra Mundial

1939-1945 Segunda Guerra Mundial

IMPRESIONISMO 1860-1915

1860-1915 IMPRESIONISMO   CUBISMO 1915-1920   EXPRESIONISMO 1920-1940

1860 1865 1870 1875 1880 1885 1890 1895 1900 1905 1910 1915 1920 1925 1930 1935 1940 1945

Early colored Liz, 1963. Serigrafía sobre acrílico y lienzo, 101,5 x 101,5 cm. Colección Peder Bonnier

1969 Festival de música de Woodstock

1952 Elvis Presley salta a la fama   1986 Catástrofe en la central nuclear de Chernóbil

1962 Crisis de los   1973 Caso Watergate   2001 Atentados terroristas en Estados Unidos
misiles en Cuba   2004 Tsunami devastador en Asia

...RESIONISMO ABSTRACTO 1940-1960   POP-ART 1960-1975

1950   1955   1960   1965   1970   1975   1980   1985   1990   1995   2000   2005   2010   2015   2020   2025   2030   2035

ANDY WARHOL

El pintor, grafista y cineasta Andy Warhol llevó a los museos la vida cotidiana, con sus cuadros de latas de sopa y billetes de banco. Convirtió a las estrellas en arte y a sí mismo, al artista, en estrella.

Desde que era niño, Andy Warhol quiso ser tan famoso como los políticos y estrellas de cine sobre los que leía en las revistas del corazón o, al menos, tan famoso como los superhéroes de los cómics. Para darse a conocer como artista, empezó a pintar cuadros de sus héroes del cómic: Popeye, Dick Tracey o Supermán. Se ganaba el dinero decorando escaparates para grandes almacenes de Nueva York o realizando carteles publicitarios. Un día descubrió en una galería los cuadros de cómic del artista Roy Lichtenstein, que se parecían mucho a los suyos. Para hacerse famoso, por tanto, necesitaba urgentemente una idea nueva y totalmente propia. Una amiga le aconsejó que pintara simplemente lo que más le gustaba. Así que Warhol pintó dinero, o mejor dicho, imprimió dinero, concretamente billetes verdes de dólar en serigrafía.

Arte como producto de fábrica

Elaboró impresiones de latas de sopa Campbell, su marca favorita, que se podían comprar en cualquier supermercado. También imprimió cajas de cartón para jabón y las apiló a modo de esculturas como las pirámides de las ofertas especiales de los grandes almacenes. Esto era realmente nuevo: todavía nadie había convertido de esta manera algo tan cotidiano como una lata de sopa, una botella de kétchup o un cartón de embalaje en el tema de su arte.
Ahora todos querían comprar un cuadro de Warhol. Con el fin de poder aumentar su producción, el artista contrató a ayudantes. A su taller lo denominó «Factory», y sus 18 empleados, en efecto, fabricaban allí los cuadros según las ideas de Warhol, casi como en una cadena de montaje, como las auténticas latas de sopa o las botellas de refrescos de cola que aparecían en las impresiones. Su sueño era producir 4.000 obras de arte diarias, y al menos Warhol consiguió una vez sacar 2.000 obras en dos años, casi tres al día.

El artista, estrella del pop

En la fábrica de Warhol no solo se producía arte. Allí también organizaba fiestas salvajes con una banda de música propia, a las que acudían importantes políticos, escritores y actores. Warhol pertenecía por fin al mundo de los ricos, guapos y famosos, que él también retrataba. En particular, Marilyn Monroe y Liz Taylor, iconos de la gran pantalla, le habían hechizado. Ahora también podía leer sobre sus propias fiestas en las revistas y a veces se comportaba como una estrella de cine: revelaba chismes y cotilleos sobre su vida, y se hizo operar la nariz. Llevaba una peluca blanca y se maquillaba. Cuando no le apetecía asistir a una exposición o ir a una discoteca, mandaba a un doble, como en el cine.

Pop-art

Pop-art significa 'arte popular o cotidiano'. En efecto, los artistas pop de Inglaterra y Estados Unidos querían representar objetos populares de uso cotidiano de manera artística. Con anterioridad, los pintores del expresionismo abstracto en Nueva York habían desterrado la representación de objetos reales de sus pinturas. Ahora, de repente, se podían ver estrellas del cine y de la música, políticos famosos, coches, letreros de la calle, cajetillas de cigarrillos, latas de cerveza y banderas, tal como aparecían en las revistas de moda, en los supermercados o en la calle. Entre los artistas pop más importantes destacan Richard Hamilton, Roy Lichtenstein, David Hockney y Claes Oldenburg.

1928 Andy Warhol nace el 6 de agosto en Pittsburgh.
1945 Warhol comienza sus estudios de diseño gráfico, historia del arte, sociología y psicología.
1949 Se traslada a Nueva York, donde trabaja como dibujante publicitario.
1952 Presenta por primera vez sus dibujos en una exposición individual.
1960 Warhol pinta el primer cuadro con héroes del cómic.
1962 Realiza su primera serigrafía con estrellas de Hollywood y funda su taller, Factory.
1964 El artista adquiere fama en Europa tras una exposición en París.
1968 Warhol resulta gravemente herido en un atentado.
1968 Consigue su propio programa de televisión en la MTV.
1987 Andy Warhol muere el 22 de febrero tras una operación en Nueva York.

PÁGINAS WEB Y MUSEOS RECOMENDADOS
El Museo Ludwig en Colonia alberga una gran colección de arte pop de importancia internacional: www.museenkoeln.de/museum-ludwig En Pittsburgh, su ciudad natal, un museo dedicado al artista ofrece al visitante más de 400 obras: www.warhol.org

[arriba]
Andy Warhol, fotografía

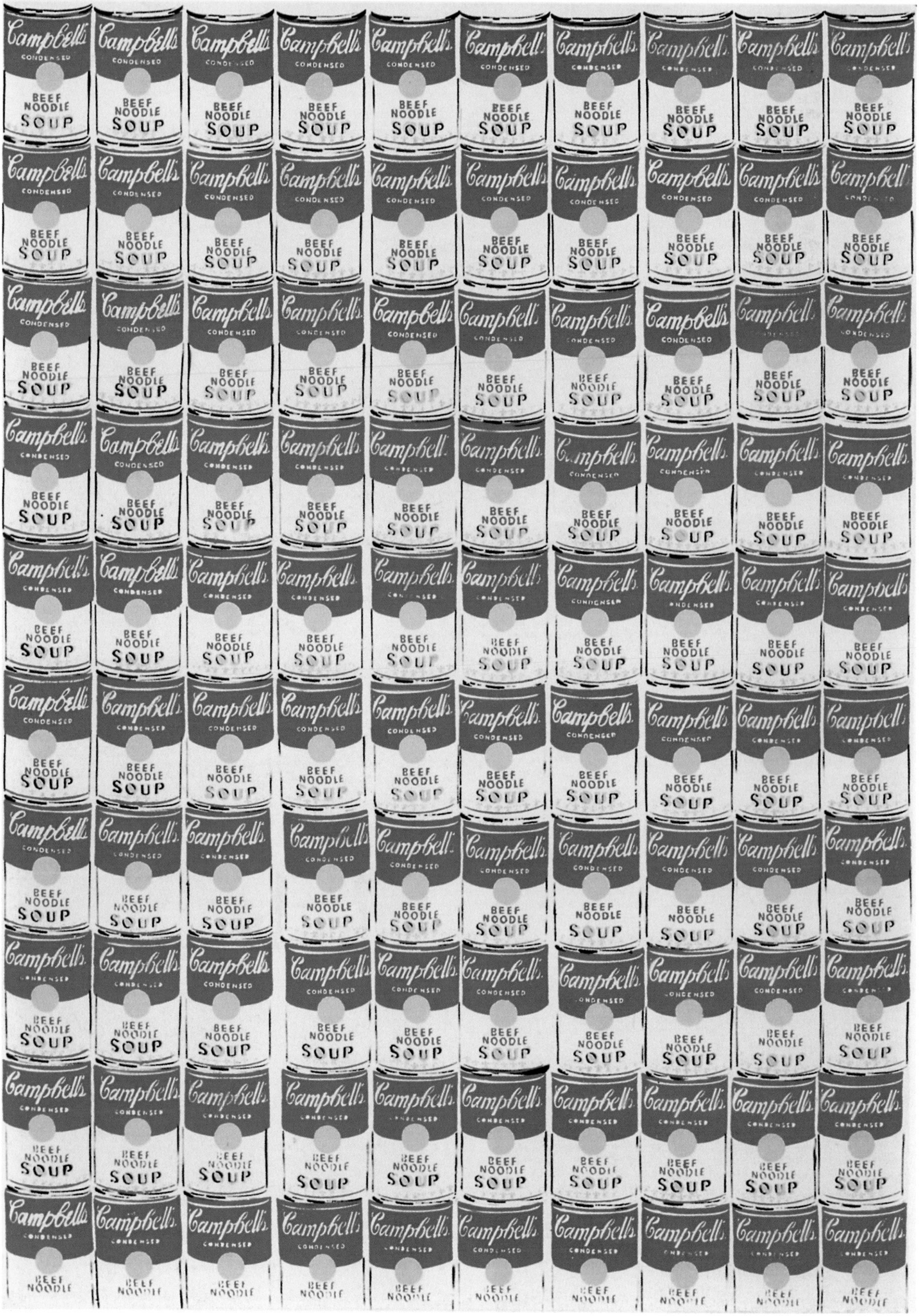
Campbell's
CONDENSED
BEEF NOODLE SOUP

[página izquierda]
Cien latas, 1962. Óleo sobre lienzo,
182,9 x 132,1 cm. Galería de Arte
Albright-Knox, Buffalo

[abajo]
Flores, 1964. Serigrafía (acrílico)
sobre lienzo, 61 x 61 cm.
Flores, 1964. Serigrafía sobre vinilo y
lienzo, 61 x 61 cm.
Flores, 1964. Serigrafía sobre vinilo y
lienzo, 61 x 61 cm.
Flores, 1964. Serigrafía sobre vinilo y
lienzo, 61 x 61 cm.
Todas de la Colección José Mugrabi
e Isle of Man Co.

DAVID HOCKNEY

JOSEPH BEUYS

ANDY WARHOL

1952 Elvis Presley salta
a la fama

1901 Nacimiento de   **1914-1918** Primera Guerra Mundial
Walt Disney   **1939-1945** Segunda
Guerra Mundial

1860-1915 IMPRESIONISMO   CUBISMO 1915-1920   EXPRESIONISMO 1920-1940   EXPRESIONISMO ABSTRACTO 1940-1960

1870   1875   1880   1885   1890   1895   1900   1905   1910   1915   1920   1925   1930   1935   1940   1945   1950   1955

Nichols Canyon, 1980. Acrílico sobre
lienzo, 214 x 153 cm. Colección privada

1969 Festival de música de Woodstock

1964 Estados Unidos interviene en la guerra de Vietnam   **1973** Caso Watergate   **1986** El transbordador espacial Challenguer explota en pleno vuelo   **2001** Atentados terroristas en Estados Unidos

2004 Tsunami devastador en Asia

POP-ART 1960-1975

1960   1965   1970   1975   1980   1985   1990   1995   2000   2005   2010   2015   2020   2025   2030   2035   2040   2045

DAVID HOCKNEY

El pintor, grafista y fotógrafo inglés David Hockney es, con sus naturalezas muertas, paisajes y retratos de gran colorido, un artista próximo al pop-art. Para Hockney, la vida ha de ser igual de colorida y variada que el arte.

A los 11 años de edad, David Hockney decidió ser pintor. «Creo que todas las personas que pintan cuadros aman esa sensación de pasar el pincel lleno de pintura sobre algo –dijo una vez eufórico–. Aun hoy podría pasarme el día pintando simplemente dándole una capa de color a una puerta.» En sus obras, Hockney pintaba muchas veces grandes superficies monocromas de azul luminoso, amarillo o verde y acto seguido colocaba flores, sillas, mesas, trampolines o personas con trazos lisos delante de esa pared de color puro. Ese estilo de pintura lo aprendió de Henri Matisse. Algunas de las obras de Hockney recuerdan escenarios vacíos, a la espera de que comience la función. Tal vez no sea una casualidad que también haya diseñado muchos decorados. Según el artista, en sus cuadros no hay personas porque pretende que el espectador se mueva libremente por ellos. En una de sus obras más conocidas, *A Bigger Splash*, esto no resulta difícil. De tanto en tanto, Hockney también representaba el vacío que sentía en su propia vida. Por ejemplo, cuando le abandonó Peter Schlesinger, su pareja, también desaparecieron las personas de sus pinturas.

Retratista de lo cotidiano

Al igual que Andy Warhol u otros artistas del pop-art, Hockney pintaba todo lo que veía y que de alguna manera le gustaba: bolsitas de té de la marca Typhoo, cartas de juego y tubos de pasta de dientes, hombres duchándose o tomando el sol junto a la piscina, las luminosas –pero en cierta manera también vacías– casas de los ricos de Hollywood, salas de estar, dormitorios y habitaciones de hotel, naranjas y orquídeas, sus dos perros salchicha Stanley y Boodgie, el mar o el paisaje norteamericano. Hockney casi siempre estaba de viaje: en Egipto, en Japón o en la India. El color de sus obras cambiaba según el lugar en el que se hallaba.

En los retratos dobles de sus padres o sus amigos, Hockney ponía especial empeño en representar la relación y los sentimientos de las parejas. En su cuadro del señor y la señora Clark con su gatita Percy, los jóvenes esposos no se miran enamorados a los ojos, sino que contemplan al pintor con expresión de aburrimiento. Hockney había sido testigo de boda de los Clark y había notado que entre ellos algo no iba bien, y así lo captó en su retrato. De hecho, más tarde los Clark se divorciaron.

Un artista que bromea con el fax

A Hockney le gustaba experimentar: hacía *collages* con fotos Polaroid. Con la fotocopiadora en color convertía una única imagen en muchas obras de arte. En una ocasión envió sus dibujos para una exposición desde su estudio al museo por fax. Esas copias fueron expuestas como obras «auténticas». A la pregunta de cómo debían devolverle las obras, Hockney, que tenía un gran sentido del humor, respondió: «Podéis enviármelas por fax, pero entonces seguirán en vuestro poder».

1937 David Hockney nace el 9 de julio en Bradford. Tiene cuatro hermanos.

1948 Quiere ser artista y cuelga carteles en el tablón de anuncios de su colegio.

1959 Hockney estudia arte en Londres.

1960 Primera exposición pública de sus obras.

1963 Hockney se hace famoso tras varias exposiciones. Conoce a Andy Warhol.

1976 Hockney viaja a través de Norteamérica.

1980 Pierde capacidad auditiva.

1982 Compra una casa en Hollywood.

1999 Inauguración de tres exposiciones de Hockney.

LECTURA RECOMENDADA
Hockney escribió un libro sobre los trucos de los artistas que le habían precedido: Hockney, David. *El conocimiento secreto*. Barcelona: Ediciones Destino, 2001.

[arriba]
David Hockney, fotografía

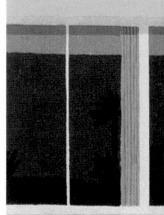

[arriba]
El señor y la señora Clark y Percy,
1970-1971. Acrílico sobre lienzo,
304 x 213 cm. Tate Gallery, Londres

[página derecha]
A Bigger Splash, 1967.
Acrílico sobre lienzo, 242,5 x 243,9 cm.
Tate Gallery, Londres

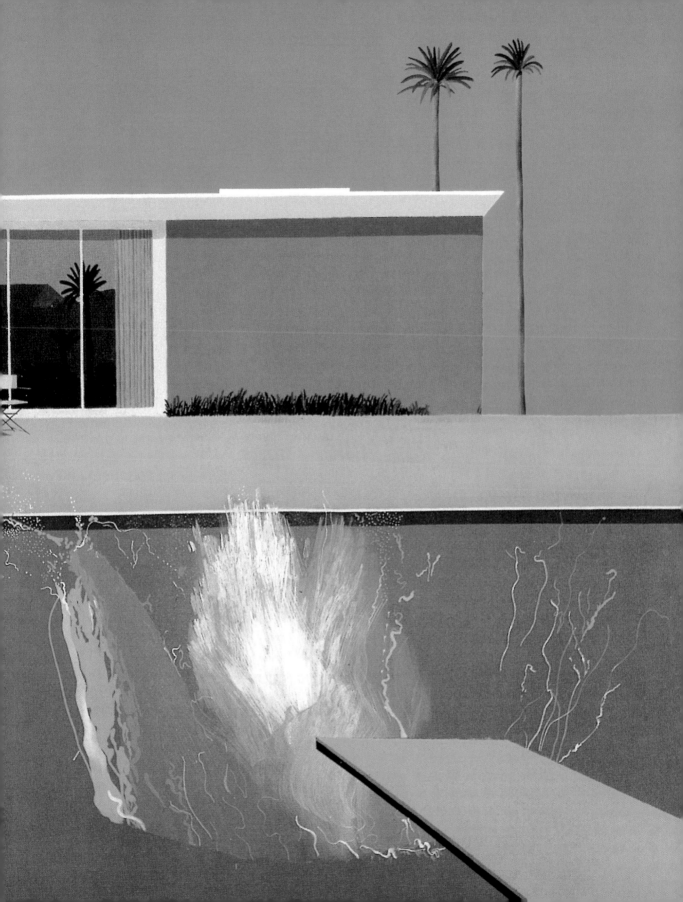

APÉNDICES

GLOSARIO

abstracto, arte abstracto, pintura abstracta
Abstracto significa 'no concreto'. A partir
de 1910 se inició una corriente artística que
no se propone reproducir objetos, sino
que pretende que los colores y las formas
causen efecto por sí mismos.

academia
Una academia es una escuela de arte.
Así se denominan también algunas
sociedades que fomentan las ciencias o
el arte. El nombre procede de unos jardines
dedicados al héroe Academos en los que
Platón fundó en el año 387 a.C. su escuela
de filosofía.

acción
El arte de acción, el *performance* y el
happening se asemejan a una representación
experimental de teatro o música. Se trata,
a diferencia de las obras expuestas en un
museo, de un acontecimiento instantáneo.
Mientras que en el *happening* y el *performance*
el espectador participa en la representación,
la acción también se puede realizar sin
público y contemplarse posteriormente
(por ejemplo, en fotografías).

acuarela
(del latín *acqua*, 'agua') En la acuarela se
pinta con colores claros y transparentes
diluidos en agua. La pintura a la acuarela
es una de las técnicas pictóricas más
antiguas, que ya aplicaban los egipcios
en sus libros de muertos (siglo II a.C.)
sobre papiros.

aguada o gouache
Con esta técnica pictórica, a diferencia
de la › acuarela, no se utilizan pinturas
transparentes, sino pinturas opacas
diluidas en agua. Los pigmentos se
aglutinan con goma o cola vegetal y
se mezclan con blanco (por ejemplo,
en forma de arcilla). Los colores *gouache*

ya se utilizaban en la Edad Media para
ilustrar libros. En el Renacimiento se
aplicaban en los bocetos para grandes
cuadros. Desde el siglo XIX es una técnica
pictórica independiente.

aguafuerte
En el aguafuerte, las líneas de un dibujo
se marcan con un estilete en una capa
de barniz con la que se ha recubierto una
plancha de cobre o de cinc. A continuación,
la plancha se sumerge en un baño ácido.
El líquido solo corroe las partes de metal
que no están protegidas por la capa de
barniz, es decir, aquellas partes que han
sido rayadas. Después se impregnan las
líneas con tinta y se imprime el dibujo
grabado sobre un papel. La técnica del
aguafuerte se inventó hace unos 500 años
y ha sido utilizada, entre otros, por Alberto
Durero, William Hogarth, Rembrandt, Pablo
Picasso y Max Beckmann.

altar
(del latín *alta ara*, 'altar elevado') Un altar
es un lugar dedicado a honrar a un dios,
a varias deidades o a santos y sobre el
cual se ofrecen sacrificios. En las iglesias
cristianas, los altares suelen estar decorados
con retablos. El retablo posee un ala a cada
lado que en determinadas celebraciones
se pueden abrir o cerrar, mostrando así
imágenes diferentes.

Antigüedad
La Antigüedad comprende el periodo de la
Grecia y la Roma clásicas. Comienza en el
segundo milenio antes de Cristo y finaliza
con la caída del Imperio romano hacia el
año 500 d.C. El arte de la Antigüedad se
considera un arte perfecto y por ello muchos
artistas y teóricos del arte posteriores lo han
tomado como modelo.

art nouveau › página 109

arte cristiano
Desde el siglo III d.C., el arte cristiano fue
desplazando en Europa cada vez más al
arte de la › Antigüedad. Pretendía decorar
las iglesias y enaltecer al dios cristiano. En
aquel entonces, la mayoría de las personas
eran analfabetas y el arte les transmitía el
mensaje cristiano.

arte moderno
Denominación genérica que comprende
los diferentes estilos artísticos desde
aproximadamente 1890.

arte objetual, arte conceptual › página 137

artes gráficas › grafismo

artes plásticas
Entre las artes plásticas (del griego
plastein, 'formar', 'moldear') se incluye
tradicionalmente la pintura, el grafismo y la
escultura, es decir, las artes relacionadas con
la forma. Hoy en día este concepto también
abarca otras formas artísticas como la
fotografía, el cine, la arquitectura y el diseño.

assemblage
(voz francesa, 'ensamblaje') Con la técnica
del *assemblage*, la obra de arte se crea
ensamblando diferentes objetos.

autorretrato › retrato

barroco › página 55

Bauhaus
Importante escuela de arte, diseño y
arquitectura fundada en 1919 en Weimar,
en la que se cultivaron todos los campos
del arte. En 1925 se trasladó a Dessau.
La claridad, la objetividad y la utilidad
eran el objetivo de los artistas de la Bauhaus,
creadores del estilo Bauhaus. Fue clausurada
en 1933, bajo el régimen nazi.

bienal
Las bienales son actos internacionales, como exposiciones de arte o festivales de cine, que se celebran cada dos años.

bodegón › naturaleza muerta

busto
Representación plástica de la cabeza de una persona hasta el pecho, los hombros o la cintura.

cerámica
Concepto genérico que comprende los productos fabricados a base de barro cocido como loza, porcelana, gres y terracota.

claroscuro › página 51

clasicismo › página 78

collage
(del francés *coller*, 'pegar') Con esta técnica artística se componen imágenes a partir de recortes de periódicos, retales, papeles pintados, fotos recortadas, etc.

constructivismo › página 143

copia
Por *copia* se entiende un duplicado de una obra de arte original realizado por otra persona y no por el artista.

cubismo › página 123

dadá › página 139

desnudo
Se denomina así la representación artística del cuerpo humano desnudo. El dibujo del natural o desnudo es una de las asignaturas básicas en la formación de un artista.

Documenta
Gran exposición internacional de arte contemporáneo que se celebra cada cinco años en Kassel (Alemania).

Edad Media
Periodo de la historia comprendido entre la › Antigüedad y la Edad Moderna, que se inicia alrededor del año 1500 con el Renacimiento.

escultura
Obra de arte tridimensional realizada por un escultor. Las esculturas pueden ser obras de arte moldeadas a partir de materiales blandos y maleables (por ejemplo, arcilla, bronce fundido), o bien talladas en un material duro (piedra, madera).

estuco, estucador
El estuco es una masa compuesta de yeso, cal y arena que puede ser moldeada, tintada y sobrepintada una vez seca. Durante el barroco, los estucadores solían decorar los espacios de interior con dibujos plásticos.

estudio › taller

expresionismo
A diferencia de los artistas del impresionismo, que habían plasmado el efecto ambientador de la luz en la naturaleza, los expresionistas querían poner de relieve su percepción personal de la realidad. El grupo de los Fauves de París, con sus intensos colores y sus formas sencillas, les sirvió de modelo (› página 155). Vassily Kandinski desarrolló el expresionismo hasta convertirlo en arte › abstracto. El expresionismo abstracto nació en Estados Unidos (› página 153).

firma
Con la firma, un artista asume sus obras y las distingue.

fresco
Los frescos se aplican con pinturas resistentes a la cal sobre el revoque aun húmedo de paredes y techos. Una vez secos, los pigmentos de la pintura quedan indisolublemente unidos al revoque, de manera que la pintura ya no se puede desconchar. La pintura al fresco es una técnica muy antigua, probablemente ya conocida por los antiguos griegos. El pintor al fresco se denomina *fresquista*.

género (cuadros de)
Se denominan *cuadros de género* aquellos que representan escenas de la vida cotidiana de determinadas clases sociales. Por ejemplo, se distingue entre género campesino o género militar. La pintura de género vivió su época de esplendor en el arte holandés del siglo XVII (› página 65) y la cultura burguesa del siglo XIX.

grabado en cobre
Para el grabado en cobre, el dibujo se graba con los lados invertidos sobre una plancha de cobre pulido o latón. Para ello se utiliza un buril. Al entintar la plancha, la pintura se acumula en las líneas marcadas con el buril. La técnica del grabado en cobre es una de las técnicas gráficas más difíciles.

grafismo
(del griego *graphein*, 'escribir', 'dibujar', 'rayar') Por *grafismo* se entiende un dibujo o el resultado de un procedimiento de impresión (artes gráficas), como por ejemplo un › aguafuerte, una › xilografía, un › grabado en cobre, una litografía o una › serigrafía.

happening › acción

históricos (cuadros)
Se denominan *cuadros históricos* los que representan un acontecimiento histórico.

Puede tratarse de sucesos históricos en sentido estricto, pero también de historias de la Biblia, la mitología, leyendas o poemas. La pintura histórica ha estado considerada durante mucho tiempo como el género más importante de la pintura.

idealista

En las artes plásticas, por *idealismo* se entiende la creación de una obra a partir de un ideal, sacrificando los rasgos realistas en beneficio del ensalzamiento y la idealización de la realidad.

impresionismo › página 99

instalación

Las instalaciones son obras de arte tridimensionales que se montan en un espacio ya existente. Se utilizan todo tipo de materiales y medios.

litografía

Esta técnica de impresión desarrollada entre 1796 y 1798 consiste en dibujar con tinta grasa o tiza sobre una plancha especial de cinc o de piedra caliza de grano fino. Después, la plancha se cubre con ácido, que hace que la tinta de imprenta solo se fije a las líneas cubiertas de grasa del dibujo. Los espacios en los que los poros de la piedra han absorbido la humedad quedan libres de tinta.

manierismo

Nombre con el que se conoce el estilo artístico del Renacimiento tardío que se extendió aproximadamente del año 1520 al 1600. Se caracteriza por sus figuras alargadas y rebuscadas y sus formas artificiosas de movimientos teatrales. El precursor de este estilo tan expresivo fue Miguel Ángel con sus esculturas musculosas en el Alto Renacimiento. Los representantes más importantes del manierismo son El Greco

y los italianos Jacopo da Pontormo, Lorenzo Lotto, Tintoretto y Parmigianino.

modernismo › página 109

naturaleza muerta

En una naturaleza muerta o bodegón se representan objetos inmóviles, inanimados, y animales. Casi siempre se representan flores y frutas, pero también son habituales las obras con animales muertos y utensilios de caza, objetos de cocina o desayunos. Las naturalezas muertas denominadas *vanitas* hacen referencia a la naturaleza fugaz de todas las cosas, por ejemplo mediante la representación de flores marchitas o de una calavera. Este simbolismo desempeñó un papel especialmente relevante durante el barroco.

objet trouvé

(voz francesa, 'objeto hallado') Un objeto encontrado en la naturaleza o en la vida cotidiana que es declarado obra de arte por un artista o que se integra en una obra de arte.

objetual

Por arte objetual se entienden las obras (modernas) que consisten en elementos ya existentes o están compuestas por ellos.

paisajismo

El tema central del paisajismo o pintura de paisajes es la naturaleza. Antiguamente, el paisaje solo servía de fondo en los cuadros, pero sobre todo en los siglos XVII y XIX el paisaje como tal se convirtió en un tema central. A partir del siglo XIX se comenzó a pintar directamente al aire libre; antes, las obras al óleo se pintaban en los talleres a partir de los bocetos y estudios realizados.

perspectiva

(del latín *perspicere*, 'mirar a través', 'percibir con nitidez') Para reproducir en un cuadro o en un dibujo un espacio en tres dimensiones se utiliza la representación en perspectiva. Para ello se trazan las llamadas líneas de fuga a través del cuadro, que confluyen en un punto imaginario, el punto de fuga. La regla básica de la representación en perspectiva es que los objetos que están más alejados en el espacio parecen más pequeños que los que se encuentran más cerca. En la Edad Media se desconocía el dibujo en perspectiva. En el Renacimiento temprano y gracias al desarrollo de las ciencias, los artistas tenían un buen conocimiento de la perspectiva.

pintura al óleo

En esta técnica pictórica, para aglutinar los pigmentos se utiliza aceite (de linaza, blanco o de nuez). Las pinturas al óleo pueden ser translúcidas u opacas y aplicarse una junto a otra o encima de otra sin que se mezclen. Esta característica permite realizar gradaciones y transiciones muy tenues. Para conservar el cuadro en óleo durante mucho tiempo, una vez acabado se cubre con una capa de barniz impermeable y transparente (por ejemplo, soluciones de resina blanda).

pop-art › página 157

primitivo, arte primitivo

Muchos pintores y escultores del siglo XX tomaron como modelo la fuerza expresiva del arte de las antiguas culturas o de los llamados pueblos primitivos.

proporción

Desde la Antigüedad ha sido una constante la búsqueda de las leyes de la proporción del cuerpo humano, la relación entre las diferentes partes y con respecto al conjunto. La armonía entre las proporciones, es decir, el equilibrio entre los tamaños relativos de los diferentes elementos, también ha sido de vital importancia para la arquitectura.

realismo › página 89

Renacimiento (› *véase también* página 32)
Con el Renacimiento de la cultura clásica concluye la Edad Media. Esta época nace a principios del siglo xv en Italia.

retablo › altar

retrato, retratar, retratista
Los retratos son imágenes que representan a personas determinadas. Diferenciamos entre retratos individuales, dobles o de grupo. Un retrato puede mostrar a la persona de cuerpo entero o parcialmente (cabeza, busto, medio cuerpo, tres cuartos), de frente (vista frontal) o de lado (vista de perfil). Los retratos por encargo son los que se solicitan expresamente al artista. En un autorretrato el artista se representa a sí mismo.

retrospectiva
Una retrospectiva (en sentido literal, 'mirada al pasado') es una exposición que presenta las diferentes fases creativas de un artista o el conjunto de su obra.

rococó › página 68

romanticismo › página 81

Salon
Exposición de arte con carácter representativo celebrada anualmente en Francia.

serie
Nombre que se da en las artes plásticas a un conjunto de obras de la misma naturaleza.

serigrafía
Técnica de impresión en la que la tinta se hace pasar a través de un tamiz sujeto a un marco. En su origen, el tamiz consistía en un tejido de seda (en latín, *sericus*). Las partes que no se desea imprimir se cubren con una plantilla y la imagen a imprimir se deja libre. En la serigrafía fotográfica se aplica una capa de emulsión (fotosensible) al tamiz y se expone a la luz. Las partes expuestas son resistentes al líquido y las no expuestas se pueden lavar. En impresiones de varios colores, para cada color hay que preparar un tamiz.

surrealismo › páginas 141, 147

taller
Estudio, lugar de trabajo de un artista.

tema
El tema (de un cuadro) es el objeto de una representación artística o el asunto de que trata.

temple
Pinturas con aglutinantes acuosos, oleosos o resinosos que se utilizaron sobre todo antes del siglo xv. El temple tenía un aspecto más áspero que la › pintura al óleo, y su superficie tiene una apariencia más mate.

tríptico
Un tríptico es un cuadro que se compone de tres piezas.

vanguardia
Avanzadilla de una nueva idea o corriente; la vanguardia se adelanta a su época, rompe con las formas tradicionales y establece algo radicalmente nuevo.

xilografía
Con la técnica de la xilografía, el dibujo se traslada con los lados invertidos a una plancha de madera llamada clisé. Después se rebajan todas las partes que no han de imprimir, se impregnan las partes en relieve con tinta y se imprime sobre un papel.

ÍNDICE DE ARTISTAS

CRÉDITOS FOTOGRÁFICOS